Cynnwys

Sut i ddefnyddio'r llyfr hwn

Bwriad y gwerslyfr hwn yw eich arwain drwy fanyleb Y Gyfraith CBAC a'ch helpu i lwyddo yn y pwnc. Mae'r llyfr wedi'i ysgrifennu gan awduron sydd hefyd yn arholwyr profiadol, gan nodi beth sy'n ofynnol gan ymgeiswyr o ran cynnwys er mwyn ennill y marciau uchaf. Yn ogystal â hyn, mae gwallau cyffredin ymhlith ymgeiswyr wedi'u nodi, a chewch gefnogaeth a chyngor fel y gallwch osgoi'r rhain. Dylai hyn eich arwain i lwyddo yn eich arholiad UG/U2. Mae'n cynnwys amryw gwestiynau arholiad enghreifftiol ar gyfer y fanyleb, ynghyd ag atebion enghreifftiol a sylwadau arholwyr.

Mae'r llyfr yn ymdrin â'r canlynol:

- unedau 1 a 2 Lefel UG CBAC
- unedau 3 a 4 Lefel U2 CBAC.

Mae'r gwerslyfr hwn yn ymdrin â'r wybodaeth sydd ei hangen ar gyfer pob testun yn y fanyleb. Mae hefyd yn cynnwys amryw nodweddion dysgu yn ymwneud â'r testunau.

Termau allweddol: Mae termau cyfreithiol pwysig wedi'u dangos mewn print tywyll yn y prif destun ac mae'r diffiniadau wedi'u cynnwys ar ymyl y dudalen. Mae'r rhain hefyd wedi'u rhestru mewn geirfa ar ddiwedd y llyfr fel bod modd cyfeirio atyn nhw'n hwylus.

Gwella gradd: Mae'r nodwedd hon yn rhoi syniad i chi o feddwl yr arholwyr, ac yn rhoi cyngor ar bethau y dylech chi eu cynnwys er mwyn gwella eich marciau.

Ymestyn a herio: Mae'r gweithgareddau hyn yn rhoi cyfleoedd i ymchwilio ymhellach i destun ac yn rhoi cyngor i chi ar ddarllen pellach. Achosion ychwanegol, materion cyfoes neu feysydd sy'n cael eu diwygio yw'r rhain fel arfer; bydd gwybod amdanyn nhw yn gwneud argraff dda iawn ar yr arholwr.

Achosion ac Achosion Allweddol: Mae enghreifftiau o achosion wedi'u hamlygu er mwyn egluro'r pwyntiau cyfreithiol maen nhw'n eu dangos.

Sgiliau Arholiad: Mae'r nodwedd hon yn rhoi cyngor ac arweiniad ar sut i baratoi ar gyfer eich arholiadau.

Crynodeb: Ar ddiwedd pob pwnc mae crynodeb defnyddiol er mwyn eich helpu i drefnu eich gwaith adolygu.

Mae'r adran **Arfer a thechneg arholiad** yn rhoi cyfle i chi ymarfer eich sgiliau arholiad ac yn rhoi syniad i chi o ansawdd yr ateb sy'n ddisgwyliedig er mwyn ennill gradd uchel. Mae'r adran hon yn rhoi enghreifftiau i chi o atebion Gradd A yn ogystal ag atebion Gradd C/D. Mae sylwadau manwl yn esbonio sut enillodd yr ymgeisydd ei farciau, ac yn awgrymu ffyrdd o wella'r atebion hyn. Mae'r marciau y byddai'r ymgeisydd hwn wedi'u hennill wedi eu rhannu rhwng yr Amcanion Asesu, fel y gallwch chi weld sut cafodd yr ateb ei farcio.

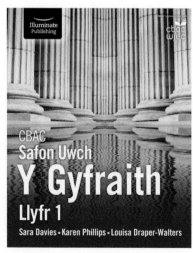

Cymwysterau UG/U2

Bwriad y llyfr hwn yw rhoi cymorth i chi astudio ar gyfer lefel U2 CBAC. Mae cynnwys ychwanegol sydd ei angen ar gyfer UG a rhywfaint o U2 i'w gael yn Llyfr 1 (ISBN 978 1 912820 00 9).

CBAC
Safon Uwch
Y Gyfraith Llyfr 2

Sara Davies • Karen Phillips • Louisa Draper-Walters

CBAC Safon Uwch Y Gyfraith: Llyfr 2

Addasiad Cymraeg o *WJEC/Eduqas A Level Law: Book 2* a gyhoeddwyd yn 2018 gan Illuminate Publishing Ltd, P.O. Box 1160, Cheltenham, Swydd Gaerloyw GL50 9RW.

Archebion: Ewch i www.illuminatepublishing.com neu anfonwch e-bost at sales@illuminatepublishing.com

Cyhoeddwyd dan nawdd Cynllun Adnoddau Addysgu a Dysgu CBAC

Data Catalogio Cyhoeddiadau y Llyfrgell Brydeinig.

Mae cofnod catalog ar gyfer y llyfr hwn ar gael gan y Llyfrgell Brydeinig.

ISBN 978-1-912820-01-6

Argraffwyd gan Severn Print, Caerloyw

05.19

Polisi'r cyhoeddwr yw defnyddio papurau sy'n gynhyrchion naturiol, adnewyddadwy ac ailgylchadwy o goed a dyfwyd mewn coedwigoedd cynaliadwy. Disgwylir i'r prosesau torri coed a gweithgynhyrchu gydymffurfio â rheoliadau amgylcheddol y wlad y mae'r cynnyrch yn tarddu ohoni.

Gwnaed pob ymdrech i gysylltu â deiliaid hawlfraint y deunydd a atgynhyrchwyd yn y llyfr hwn. Os cânt eu hysbysu, bydd y cyhoeddwyr yn falch o gywiro unrhyw wallau neu hepgoriadau ar y cyfle cyntaf.

Mae'r deunydd hwn wedi'i gymeradwyo gan CBAC, ac mae'n cynnig cefnogaeth o ansawdd uchel ar gyfer cymwysterau CBAC. Er bod y deunydd wedi bod trwy broses sicrhau ansawdd CBAC, mae'r cyhoeddwr yn dal yn llwyr gyfrifol am y cynnwys.

Atgynhyrchir cwestiynau arholiad CBAC drwy ganiatâd CBAC.

Gosodiad y llyfr Cymraeg: Neil Sutton, Cambridge Design Consultants
Dylunio a gosodiad gwreiddiol: Kamae Design
Dyluniad y Clawr: Kamae Design
Delwedd y Clawr: Nagel Photography / Shutterstock.com

Cydnabyddiaeth
Atgynhyrchir gwybodaeth hawlfraint y Goron gyda chaniatâd Rheolwr Llyfrfa Ei Mawrhydi (*HMSO*) ac Argraffydd y Frenhines yn yr Alban.

Cyflwyniad
Er cof am Dr Pauline O'Hara, a oedd yn ysbrydoliaeth i ni ac i nifer o fyfyrwyr y Gyfraith.

Mae'r adran gynnwys isod yn esbonio'n union beth sydd ym mhob llyfr.

CBAC Y Gyfraith UG ac U2

Mae'r llyfr hwn yn ymdrin â gofynion yr arholiadau. I gael rhagor o wybodaeth, edrychwch ar yr adran Arfer a thechneg arholiad, yn ogystal â phapurau arholiad a chynlluniau marcio y pwnc, a'u trafod gyda'ch athro.

Cynnwys arholiad UG/U2 CBAC

Bydd y rhan fwyaf o ymgeiswyr yn sefyll arholiadau UG ar ddiwedd y flwyddyn gyntaf, a bydd y rhain yn cael eu cyfuno â'r arholiadau U2 ar ddiwedd yr ail flwyddyn i gael y cymhwyster Safon Uwch llawn. I weld cynnwys llawn manyleb CBAC ewch i www.cbac. co.uk.

- Mae'r arholiad UG yn llai heriol ac yn werth 40% o'r cymhwyster Safon Uwch llawn.
- Mae'r arholiad UG yn gam tuag at y cymhwyster Safon Uwch llawn, felly bydd syniadau sy'n cael eu cyflwyno ar lefel UG yn cael eu datblygu yn y papur U2 llawn.
- Mae Safon Uwch llawn CBAC yn cynnwys pedair uned neu arholiad. Mae'r cynnwys hwn yn ymddangos yn y ddau lyfr, Llyfr 1 a Llyfr 2.
- Mae Lefel U2 CBAC yn cynnwys dwy uned neu arholiad. Mae'r gwerslyfr hwn yn cynnwys digon o bynciau i'ch helpu chi i baratoi ar gyfer yr arholiadau.

Y pwysoliad cyffredinol yw 40% ar gyfer UG a 60% ar gyfer U2.

	Uned 1	Uned 2	Uned 3	Uned 4
CBAC UG	Natur y Gyfraith a Systemau Cyfreithiol Cymru a Lloegr	Cyfraith Camwedd	amh.	amh.
	80 marc ar gael (25% o'r cymhwyster Safon Uwch llawn)	60 marc ar gael (15% o'r cymhwyster Safon Uwch llawn)	amh.	amh.
	1 awr a 45 munud	1 awr a 30 munud	amh.	amh.
CBAC U2	Unedau 1 a 2, uchod, ynghyd ag unedau 3 a 4		Arfer Cyfraith Sylwedd / Y Gyfraith Gadarnhaol	Safbwyntiau Cyfraith Sylwedd / Y Gyfraith Gadarnhaol
			100 marc ar gael (30% o'r cymhwyster Safon Uwch llawn)	100 marc ar gael (30% o'r cymhwyster Safon Uwch llawn)
			1 awr a 45 munud	2 awr

- **Uned 1:** Natur y Gyfraith a Systemau Cyfreithiol Cymru a Lloegr (25%).
- **Uned 2:** Cyfraith Camwedd (15%).
- **Uned 3:** Arfer Cyfraith Sylwedd / Y Gyfraith Gadarnhaol (30%).
- **Uned 4:** Safbwyntiau Cyfraith Sylwedd / Y Gyfraith Gadarnhaol (30%).

Termau allweddol ac awdurdod cyfreithiol

Mae myfyrwyr yn aml yn dweud bod astudio Y Gyfraith yn teimlo fel dysgu iaith hollol newydd. Mewn gwirionedd, bydd yn rhaid i chi ddod i adnabod rhai termau Lladin, fel *ratio decidendi*. Os ydych chi am gyrraedd y bandiau marcio uwch, bydd angen i chi ddefnyddio terminoleg gyfreithiol briodol. Mae termau allweddol wedi'u hamlygu drwy gydol y llyfr. Bydd llawer o'r cwestiynau arholiad ateb byr yn gofyn i chi esbonio ystyr term, neu ddisgrifio cysyniad. Dylech ddechrau eich traethodau ymateb estynedig bob amser drwy esbonio'r term allweddol yn y cwestiwn. Dylai gweddill eich ateb ganolbwyntio ar syniadau a dadleuon sy'n gysylltiedig â'r term allweddol hwnnw.

Er mwyn cefnogi'ch pwyntiau, dylech gynnwys **awdurdod cyfreithiol**. Gall hwn fod yn achos, yn statud neu'n ddeddfwriaeth, er enghraifft *Donoghue v Stevenson (1932)* neu **adran 1 Deddf Dwyn 1968**.

> **Nodyn:** hen derm CBAC am 'Substantive Law' oedd 'Y Gyfraith Gadarnhaol'. Bellach mae'r term 'Cyfraith Sylwedd' wedi ennill ei blwyf, felly defnyddir y term hwn yn y gyfrol hon.

Asesiadau Y Gyfraith CBAC

Mae'r adran arholiadau ar ddiwedd y llyfr hwn yn rhoi mwy o sylw i asesu. Ond, cyn i chi ddechrau astudio, bydd o gymorth i chi os ydych chi'n deall y sgiliau allweddol sy'n cael eu profi. Mae'r rhain yn cynnwys y canlynol:

- **Amcan Asesu 1 (AA1):** Disgrifio beth rydych chi'n ei wybod.
- **Amcan Asesu 2 (AA2):** Cymhwyso eich gwybodaeth.
- **Amcan Asesu 3 (AA3):** Dadansoddi/gwerthuso'r wybodaeth hon.

Mae pob cynllun marcio'n cynnig marciau ar gyfer y sgiliau gwahanol ac mae arholwyr yn cael eu hyfforddi i chwilio amdanyn nhw a'u hadnabod.

- **AA1:** Rhaid i chi ddangos **gwybodaeth a dealltwriaeth** o reolau ac egwyddorion cyfreithiol.
- **AA2:** Rhaid i chi **gymhwyso** rheolau ac egwyddorion cyfreithiol at senarios penodol er mwyn cyflwyno dadl gyfreithiol gan ddefnyddio terminoleg gyfreithiol briodol.
- **AA3:** Rhaid i chi **ddadansoddi a gwerthuso** rheolau, egwyddorion, cysyniadau a materion cyfreithiol.

Telerau datganedig ac ymhlyg

Adran y fanyleb	Cynnwys Allweddol	Amcanion Asesu	Ble mae'r pwnc hwn yn ymddangos yn y fanyleb/arholiad?
CBAC Safon Uwch 3.8: Telerau datganedig ac ymhlyg, amodau, gwarantau a thelerau anenwol, cymalau eithrio a chyfyngu	• Rhwymedigaethau o dan gontract: y gwahaniaeth rhwng ymliwiadau a thelerau • Telerau datganedig: ymgorffori telerau datganedig, rheol tystiolaeth ymadroddol • Telerau ymhlyg: telerau ymhlyg yn ôl ffaith, telerau ymhlyg yn ôl statud: telerau ymhlyg o dan Ddeddf Hawliau Defnyddwyr 2015, Rheoliadau Contractau Defnyddwyr 2013 • Cymalau eithrio mewn contractau defnyddwyr a chontractau busnes i fusnes: ymgorffori cymalau eithrio, Deddf Telerau Contract Annheg 1977 • Telerau eraill: amodau, gwarantau, telerau anenwol	**AA1** Dangos gwybodaeth a dealltwriaeth o reolau ac egwyddorion cyfreithiol **AA2** Cymhwyso rheolau ac egwyddorion cyfreithiol at senarios penodol er mwyn cyflwyno dadl gyfreithiol gan ddefnyddio terminoleg gyfreithiol briodol **AA3** Dadansoddi a gwerthuso rheolau, egwyddorion, cysyniadau a materion cyfreithiol	**CBAC U2:** Unedau 3 a 4

TERMAU ALLWEDDOL

teler: datganiad sy'n cael ei wneud wrth drafod contract y mae bwriad iddo ddod yn rhan o'r contract, gan rwymo'r partïon iddo. 'Telerau' yw mwy nag un teler.

telerau datganedig: telerau contract sy'n cael eu gwneud gan y partïon eu hunain.

telerau ymhlyg: telerau contract sy'n cael eu rhagdybio, naill ai gan gyfraith gwlad neu gan statud.

ymliwiad: datganiad sy'n cael ei wneud wrth drafod contract, heb fwriad iddo fod yn rhan o'r contract.

Y gwahaniaeth rhwng ymliwiadau a thelerau

Mae **telerau** contract yn gosod y rhwymedigaethau o dan y contract. Gall telerau fod yn rhai **datganedig** neu'n rhai **ymhlyg**. Gall telerau gael eu dosbarthu hefyd yn ôl eu pwysigrwydd, fel **amodau**, **gwarantau** a thelerau **anenwol**.

Mae angen adnabod y gwahaniaeth rhwng telerau ac **ymliwiadau**. Nid oes unrhyw atebolrwydd ynghlwm ag ymliwiadau, gan mai rhywbeth sydd wedi cymell parti i ymrwymo i gontract yn unig ydyn nhw. Mae'r rhain fel arfer yn cael eu gwneud ar lafar cyn i'r contract gael ei lunio. Weithiau, gall yr ymliwiadau hyn fod yn delerau, ac mae'r gwahaniaeth rhwng ymliwiadau a thelerau yn dibynnu ar fwriad y partïon.

Ond os yw ymliwiad yn anwir ac wedi cymell y parti arall i ymrwymo i'r contract ar gam, **camliwio** yw'r enw ar hyn, a bydd yn golygu bod atebolrwydd ar y parti sy'n gwneud y datganiad.

Ymgorffori telerau datganedig

Bwriad y partïon sy'n pennu a yw datganiadau **cyngontractol** yn **ymliwiadau** neu'n **delerau**. Beth bynnag yw'r sefyllfa, os yw'r partïon yn dymuno i'r datganiad fod yn rhan o'r contract, rhaid iddo gael ei **ymgorffori**. Mae hyn yn fater syml os yw'n cael ei ysgrifennu yn y contract, ond gall fod yn fwy cymhleth os nad yw hyn yn digwydd. Er mwyn atal hyn, mae'r llysoedd wedi datblygu rhai canllawiau, sy'n cael eu trafod yma.

Pwysigrwydd y datganiad

Bannerman v White (1861)

Wrth brynu hopys, gofynnodd White a oedd yr hopys wedi cael eu trin â sylffwr. Dywedodd Bannerman nad oedd yr hopys wedi cael eu trin, gan gredu bod hyn yn wir. Ond daeth yn amlwg yn ddiweddarach fod sylffwr wedi cael ei ddefnyddio. Daeth White ag achos yn erbyn Bannerman gan na fyddai wedi llunio'r contract pe bai'n gwybod ymlaen llaw bod sylffwr wedi cael ei ddefnyddio.

*Cytunodd y llys fod y datganiad am y sylffwr wedi'i ymgorffori yn y contract oherwydd **oni bai am y datganiad hwnnw**, ni fyddai White wedi llunio'r contract.*

Gwybodaeth a sgiliau'r unigolyn sy'n gwneud y datganiadau

Os oes gwybodaeth neu sgiliau arbenigol gan yr unigolyn sy'n gwneud y datganiadau, yn amlwg bydd y llysoedd yn fwy parod i'w dehongli fel telerau yn hytrach nag ymliwiadau.

Dick Bentley Productions Ltd v Harold Smith (Motors) Ltd (1965)

*Roedd yr **hawlydd**, sef Bentley Productions, yn chwilio am gar Bentley oedd wedi cael ei 'archwilio'n dda'. Dywedodd y **diffynnydd**, sef gwerthwr ceir, fod ganddo gar ar werth oedd wedi cael blwch gêr ac injan newydd yn ddiweddar, ac oedd wedi gwneud 20,000 o filltiroedd yn unig ers hynny.*

*Ar ôl prynu'r car, dechreuodd rhai problemau ddod i'r amlwg, a daeth yn amlwg hefyd fod y car wedi gwneud 100,000 o filltiroedd mewn gwirionedd ers i'r darnau newydd gael eu gosod. **Cadarnhaodd** y llys fod y datganiad yn un o'r telerau, gan fod y diffynnydd yn dibynnu'n ddidwyll ar arbenigedd y gwerthwr ceir.*

Amseriad y datganiad

Y mwyaf o amser sy'n mynd heibio rhwng gwneud y datganiad a chwblhau'r contract, y lleiaf tebygol yw hi y bydd y llysoedd yn ystyried y datganiad yn un o'r telerau.

Routledge v McKay (1954)

Roedd yr achos hwn yn ymwneud â gwerthu beic modur. Unigolion preifat heb wybodaeth arbenigol oedd y ddau barti. Roedd y gwerthwr yn credu bod y beic modur wedi cael ei gynhyrchu yn 1942, ond daeth yn amlwg wedyn ei fod wedi cael ei gynhyrchu yn 1930. Hawliodd y prynwr fod dyddiad cynhyrchu'r beic yn un o'r telerau. Ond methodd hyn gan fod y cyfnod amser rhwng gwneud y datganiad a chwblhau'r contract yn awgrymu nad oedd y datganiad yn un o'r telerau.

Cytundebau ysgrifenedig

Os cafodd unrhyw ddatganiad ei wneud cyn y contract a'i fod **heb** ei ymgorffori mewn contract ysgrifenedig, mae rhagdybiaeth ei fod yn ymliwiad yn unig, ac nid yn un o'r telerau. Pe bai'r partïon yn bwriadu iddo fod yn un o'r telerau, byddai wedi cael ei gynnwys yn y dogfennau ysgrifenedig.

1930

Dehongli telerau datganedig

Wrth benderfynu beth yw ystyr telerau datganedig, yn aml iawn bydd rhaid i farnwyr ddarganfod beth oedd bwriadau'r partïon. Mae hyn wedi bod yn destun trafod yn y llysoedd yn y blynyddoedd diwethaf.

ACHOS ALLWEDDOL

Arnold v Britton (2015)
Roedd yr achos hwn yn ymwneud â phrydlesau ar gyfer *chalets* gwyliau mewn parc carafannau yn Abertawe. Roedd y teler dan sylw yn ymwneud â'r swm roedd angen ei dalu am y tâl gwasanaeth, ac am gynnal y safle carafannau.

Yn ei benderfyniad, cyflwynodd y Goruchaf Lys rai canllawiau yn nodi sut dylid dehongli telerau, gan ffafrio dehongli contractau yn **llythrennol**.

- Ni ddylid defnyddio synnwyr cyffredin masnachol i danbrisio iaith y contract.
- Mae llys yn fwy tebygol o symud ymhellach oddi wrth ystyr naturiol y geiriau os cafodd y contract ei ddrafftio'n wael.
- Os yw un parti wedi cael profiad gwael oherwydd y contract, nid yw hynny'n cyfiawnhau gwyro oddi wrth eiriad y contract.
- Wrth ddehongli contract, dim ond y ffeithiau a'r amgylchiadau oedd yn hysbys i'r ddau barti ar adeg llunio'r contract y gall y llysoedd eu hystyried.
- Os bydd rhywbeth yn digwydd a bod y partïon heb ei ragweld, ond mae'n amlwg beth fyddai eu bwriad pe baen nhw wedi ei ragweld, gall y llys weithredu'r bwriad hwnnw.

Dyma'r penderfyniad diweddaraf mewn perthynas â dehongli contractau, ac mae'n ymddangos bod ymagwedd lythrennol yn cael ei ffafrio yn fwy na synnwyr busnes.

Mae'r ymagwedd hon yn cyferbynnu â sylwadau'r Arglwydd Neuberger yn achos cynharach *Marley v Rawlings (2014)*, lle cafodd ymagwedd fwy **bwriadus** ei ffafrio. Dywedodd yr Arglwydd Neuberger fod rhaid i'r llys nodi bwriad y partïon drwy nodi ystyr y geiriau perthnasol yng ngoleuni'r canlynol:

1. ystyr naturiol a chyffredin y geiriau hynny
2. pwrpas cyffredinol y ddogfen
3. unrhyw ddarpariaethau eraill yn y ddogfen
4. y ffeithiau roedd y partïon yn eu gwybod neu'n eu rhagdybio ar yr adeg y cafodd y ddogfen ei chyflawni
5. synnwyr cyffredin.

YMESTYN A HERIO

Ymchwiliwch i rai achosion sydd wedi dod o flaen y llys yn ymwneud â dehongli telerau. Trafodwch a gafodd ymagwedd **lythrennol** neu ddull mwy **bwriadus** eu cymryd ym mhob un.
1. *Martinez v Ellesse International SpA (1999)*
2. *Pink Floyd Music Ltd v EMI Records (2010)*
3. *Investors Compensation Scheme Ltd v West Bromwich Building Society (1998).*

Telerau ymhlyg

Telerau ymhlyg yn ôl ffaith

Nid yw telerau ymhlyg yn cael eu nodi yn y contract, ond bydd y ddau barti yn rhagdybio y bydden nhw wedi cael eu cynnwys pe baen nhw wedi meddwl amdanynt. Yr achos pwysicaf mewn perthynas â hyn yw penderfyniad y Goruchaf Lys yn *Marks and Spencer v BNP Paribas (2015)*.

Roedd dyfarniad y Goruchaf Lys yn *Marks and Spencer v BNP Paribas (2015)* yn egluro'r gyfraith wrth benderfynu a ddylid ymhlygu telerau i mewn i gontract. Awgrymodd y Goruchaf Lys y dylid defnyddio'r canllawiau canlynol:

1. Gall telerau fod yn ymhlyg dim ond os yw'r contract yn mynd i fod yn ddiffygiol o ran cydlyniad masnachol neu ymarferol hebddyn nhw.
2. Gall telerau fod yn ymhlyg hefyd os ydyn nhw'n gwbl angenrheidiol o safbwynt **effeithlonrwydd busnes**. Mae'r gofyniad iddyn nhw fod yn angenrheidiol yn eithaf pwysig, gan fod hyn yn fwy llym na'r ymagwedd flaenorol, a oedd yn gofyn i'r telerau a gynigir fod yn 'rhesymol ac ecwitïol'.
3. Dylai telerau fodloni prawf **effeithlonrwydd busnes** hefyd. Rhaid iddo fod mor amlwg fel nad oes angen ei ddweud. Roedd hyn yn arfer cael ei alw'n '**brawf y sylwebydd ymyrgar**'.

Mae'r prawf **effeithlonrwydd busnes** a phrawf y **sylwebydd ymyrgar** wedi cael eu defnyddio i bennu a ddylai telerau fod yn ymhlyg ers achos *Equitable Life Assurance Society v Hyman (2000)*, lle roedd y llys o'r farn bod rhaid i'r telerau fodloni'r gofynion hyn hefyd:

- gallu cael ei fynegi'n glir
- bod yn gydnaws ag unrhyw delerau datganedig yn y contract.

Y sylwebydd ymyrgar

Yn *Shirlaw v Southern Foundries (1926)*, rhoddodd MacKinnon LJ esboniad o brawf y sylwebydd ymyrgar:

'Yr hyn sy'n cael ei adael yn ymhlyg mewn unrhyw gontract yw rhywbeth nad oes rhaid ei ddatgan ac sydd mor amlwg nes nad oes angen ei ddweud – ac felly, pe bai'r partïon yn taro bargen, a bod rhyw sylwebydd ymyrgar yn awgrymu rhoi darpariaeth ddatganedig ar gyfer hyn yn y cytundeb, bydden nhw'n ei ateb yn ddiamynedd gan ddweud "Wel, wrth gwrs!".'

Effeithlonrwydd busnes

Yn achos y telerau hyn, mae un ochr yn honni bod rhaid iddyn nhw fod yn ymhlyg er mwyn i'r contract weithio.

The Moorcock (1889)

*Cadarnhaodd y Llys Apêl bod contract i ddefnyddio glanfa'r diffynnydd er mwyn dadlwytho cwch yr hawlydd yn cynnwys teler ymhlyg y byddai'r cwch yn cael ei glymu'n ddiogel ger y lanfa. Barnwyd bod teler o'r fath yn angenrheidiol ar gyfer effeithlonrwydd busnes, neu fel arall byddai'r hawlydd yn 'prynu cyfle am berygl'. Roedd y teler wedi cael ei dorri ar ôl caniatáu i'r cwch gael ei glymu pan oedd lefel y dŵr yn rhy isel, ac felly roedd yr achos am **iawndal** am **dor-contract** yn llwyddiannus.*

Cafodd hyn ei egluro ymhellach yn *Reigate v Union Manufacturing Co (1918)* gan Sutton LJ:

'Gall telerau fod yn ymhlyg dim ond os ydyn nhw'n angenrheidiol o safbwynt busnes i wneud y contract yn effeithlon: h.y. pe bai rhywun wedi gofyn i'r partïon ar adeg negodi'r contract, "Beth fydd yn digwydd mewn achos o'r fath?", gellir dweud yn hyderus y byddai'r ddau wedi ateb fel hyn am delerau o'r fath: "Wrth gwrs bydd hwn a hwn yn digwydd – wnaethon ni ddim trafferthu dweud hynny, mae'n rhy amlwg."'

Dyma'r gyfraith o hyd, er gwaethaf ymdrechion i uno'r gyfraith â phrawf rhesymoldeb yn achos *Attorney General of Belize v Belize Telecom (2009)*.

Deddf Hawliau Defnyddwyr 2015: Telerau ymhlyg

Yn ôl y gyfraith, mae rhai telerau y mae'n rhaid eu cynnwys, dim ots os yw'r partïon eu heisiau neu wedi bwriadu eu cynnwys.

Roedd y gyfraith ar hyn yn arfer cael ei rheoli gan *Ddeddf Gwerthu Nwyddau 1979*, *Rheoliadau Telerau Annheg mewn Contractau Defnyddwyr 1999* a *Deddf Cyflenwi Nwyddau a Gwasanaethau 1982*. Ond mae'r Deddfau hyn wedi'u diddymu erbyn hyn ac mae'r gyfraith bellach wedi'i chynnwys o fewn *Deddf Hawliau Defnyddwyr 2015*.

Mae *Deddf Hawliau Defnyddwyr 2015* yn amddiffyn defnyddwyr rhag telerau annheg, yn atal cwmnïau rhag eithrio atebolrwydd am esgeuluster, a hefyd yn awgrymu bod rhai telerau yn cael eu cynnwys yn awtomatig mewn contractau defnyddwyr.

Cyflenwi nwyddau

Mae hyn yn cynnwys nwyddau 'go iawn', yn ogystal â chynnwys digidol fel meddalwedd a chynnwys wedi'i lawrlwytho neu ei ragosod.

Adran 9: Ansawdd boddhaol

Dyma'r disgwyliad na fydd y nwyddau yn ddiffygiol neu wedi'u difrodi. Mae hyn yn cael ei farnu drwy ofyn beth byddai rhywun **rhesymol** yn ei ystyried yn 'foddhaol'. Mae hefyd yn rhoi ystyriaeth i'r 'holl amgylchiadau perthnasol eraill'. Mae'r rhain yn cynnwys unrhyw ddatganiad gafodd ei wneud gan y masnachwr ynglŷn â nodweddion penodol y nwyddau mewn hysbyseb neu ar label. Felly gall y nwyddau fod yn 'anfoddhaol' os rhoddwyd gwybod i'r defnyddiwr am hyn cyn llunio'r contract.

Mae *Adran 9(3)* yn amlinellu'r agweddau i'w hystyried wrth farnu beth sy'n ansawdd boddhaol:

- Addasrwydd i bob pwrpas arferol nwyddau o'r math hwnnw.
- Ymddangosiad a gorffeniad.
- Dim mân ddiffygion.
- Diogelwch.
- Gwydnwch.

Adran 10: Addas i'r pwrpas

Mae'r adran hon yn nodi bod angen i nwyddau fod yn addas i'r pwrpas maen nhw'n cael eu cyflenwi ar ei gyfer, yn ogystal ag unrhyw bwrpas penodol y mae'r adwerthwr yn cael gwybod amdano.

Nid yw'r telerau hyn yn berthnasol os na wnaeth y defnyddiwr ddibynnu ar sgìl neu farn y masnachwr, neu os yw'n afresymol i'r defnyddiwr ddibynnu arnyn nhw.

Adran 11: Yn ôl y disgrifiad

Ystyr hyn yw bod rhaid i'r nwyddau gydweddu ag unrhyw ddisgrifiad, modelau neu samplau gafodd eu dangos adeg eu prynu. Yn amlwg, nid yw'r telerau hyn yn berthnasol os cafodd y defnyddiwr wybod am unrhyw wahaniaethau cyn iddo brynu'r eitem.

Cyflwyno hawliad

Mae *Adrannau 19–24* yn nodi'r rhwymedïau sy'n gymwys os nad yw'r hawliau statudol ar gyfer y nwyddau yn *adrannau 9–11* yn cael eu bodloni. Rhaid i ddefnyddiwr gyflwyno'r hawliad yn erbyn yr adwerthwr, nid yn erbyn y gwneuthurwr.

Dyddiad prynu	Mae *Adran 20* yn golygu bod gan y defnyddiwr **hawl gyfreithiol i wrthod** nwyddau sydd o ansawdd anfoddhaol, sy'n anaddas i'r pwrpas neu sydd ddim yn ôl y disgrifiad er mwyn cael **ad-daliad llawn**, ond mae hyn wedi'i gyfyngu i gyfnod cyn pen **30 diwrnod ar ôl eu prynu.**
30 diwrnod	Mae *Adran 23* yn darparu bod rhaid i'r defnyddiwr roi un cyfle i'r adwerthwr **atgyweirio** neu **gyfnewid** unrhyw nwyddau y tu allan i'r cyfnod o 30 diwrnod. Os nad yw'r ymgais i atgyweirio yn llwyddo, gall y defnyddiwr hawlio ad-daliad neu ostyngiad yn y pris.
6 mis	Os oes nam yn cael ei ddarganfod **o fewn chwe mis** ar ôl prynu, mae rhagdybiaeth ei fod wedi bod yno ers y prynu, oni bai fod yr adwerthwr yn gallu profi fel arall. Os yw'r nam yn cael ei ddarganfod **ar ôl chwe mis**, mae'r baich ar y defnyddiwr i brofi bod y cynnyrch yn ddiffygiol pan gafodd ei ddosbarthu. Yna, mae gan y defnyddiwr **chwe blynedd** i gyflwyno hawliad yn y llys mân hawliadau.

O dan *a28*, mae'r adwerthwr yn gyfrifol am y nwyddau hyd nes eu bod ym meddiant y defnyddiwr. Ystyr hyn yw bod yr adwerthwr yn atebol am y gwasanaeth sy'n cael ei ddarparu gan y dosbarthwr mae'n ei gyflogi.

Os yw adwerthwr **yn methu dosbarthu cyn pen 30 diwrnod**, mae gan y defnyddiwr yr hawl i derfynu'r prynu a chael **ad-daliad llawn**, hyd yn oed os nad oedd amseriad y dosbarthu yn hanfodol.

Yn ogystal â'r rhwymedïau statudol sydd ar gael o dan *Ddeddf Hawliau Defnyddwyr 2015*, gall y defnyddiwr geisio sicrhau rhwymedïau **cyfraith gwlad** ac **ecwitïol** eraill yn ogystal neu fel dewis arall. Gallai'r rhain gynnwys y canlynol:

- iawndal
- cyflawniad llythrennol
- hawl i drin y contract fel un sydd wedi dod i ben.

Cyflenwi gwasanaethau

Mae hyn yn cynnwys gwasanaethau ar gyfer sychlanhau, adloniant, gwaith gan weithwyr proffesiynol (gan gynnwys cyfreithwyr, gwerthwyr eiddo a chyfrifyddion), gwaith adeiladu, gosod ceginau a gwydro dwbl, a gwelliannau i'r cartref.

Adran 49: Gofal a sgìl rhesymol

Nid yw'r ddeddfwriaeth yn diffinio beth yw ystyr 'gofal a sgìl rhesymol'. Yn ôl y gred gyffredinol, er mwyn penderfynu a yw rhywun wedi bodloni'r safon o ran gofal a sgìl rhesymol, mae angen darganfod a ydyn nhw wedi bodloni cod ymarfer neu safonau'r diwydiant.

Adran 50: Gwybodaeth sy'n rhwymo

Os oes unrhyw wybodaeth yn cael ei rhoi i'r defnyddiwr cyn darparu'r gwasanaeth, a bod y defnyddiwr yn dibynnu arni, mae'r wybodaeth hon yn rhwymol. Mae hyn yn berthnasol i wybodaeth sy'n cael ei rhoi ar lafar ac yn ysgrifenedig.

Mae cyflenwi nwyddau o dan Ddeddf Hawliau Defnyddwyr 2015 yn cynnwys gwaith sy'n cael ei wneud gan weithwyr ar welliannau i'r cartref

Adran 51: Pris rhesymol

Os nad yw'r pris yn cael ei gytuno o flaen llaw, rhaid darparu'r gwasanaeth am bris rhesymol. Dyma'r enghraifft o hyn sy'n cael ei rhoi yn nodiadau esboniadol y ddeddfwriaeth:

'Os bydd perchennog tŷ yn cyflogi plymwr ar frys i stopio dŵr rhag gollwng, efallai na fydd amser i drafod y pris cyn trwsio'r broblem. Efallai na fydd y pris yn y contract os nad oedd y plymwr yn gwybod beth oedd y broblem cyn iddo gyrraedd i'w thrwsio. Os cafodd y broblem ei datrys mewn 10 munud gan ddefnyddio darn newydd gwerth £50, mae £1,000 yn annhebygol o fod yn bris rhesymol i'w dalu.'

Adran 52: Amser rhesymol

Oni bai fod amserlen wedi'i chytuno o flaen llaw, mae'r ddeddfwriaeth yn nodi bod rhaid darparu'r gwasanaeth o fewn 'amser rhesymol' ar ôl cytuno ar y contract.

Cyflwyno hawliad

Os nad yw'r gwasanaeth yn bodloni'r meini prawf yn *a49–52*, mae rhwymedïau statudol ar gael.

- *Adran 55*: Dylai'r masnachwr naill ai ail-wneud yr elfen sy'n annigonol, neu ddarparu'r gwasanaeth cyfan eto heb gost ychwanegol.

- *Adran 56*: Os nad yw'n bosibl ail-wneud y gwasanaeth, gall y defnyddiwr hawlio gostyngiad yn y pris. Gallai hyn fod hyd at 100% o'r gost, a dylai'r masnachwr ad-dalu'r defnyddiwr **cyn pen 14 diwrnod** ar ôl cytuno bod ad-daliad yn ddyledus.

Deddf Hawliau Defnyddwyr 2015: Telerau annheg

Mae'r ddeddfwriaeth hon hefyd yn rhoi canllawiau ar hawliau defnyddwyr mewn perthynas â thelerau annheg mewn contractau. Mae'r amddiffyniad sy'n cael ei gynnig gan y statud hwn yn llawer mwy na'r amddiffyniad sy'n cael ei gynnig gan *Ddeddf Telerau Contract Annheg 1977*, a drafodir ar dudalen 17.

Adran 62

Mae'r adran hon yn nodi nad yw teler annheg o dan y Ddeddf yn rhwymo'r defnyddiwr. Mae teler yn annheg os yw'n mynd yn groes i ofyniad **didwylledd**, ac yn achosi anghydbwysedd arwyddocaol yn hawliau a rhwymedigaethau'r partïon sydd o dan y contract, a hynny er anfantais i'r defnyddiwr.

Dylai telerau allweddol contract gael eu hasesu am **degwch**, oni bai eu bod yn **amlwg a thryloyw**, neu eu bod nhw'n delerau sy'n ymwneud â phrif fater contract, neu bod yr asesiad yn ymwneud â'r pris i'w dalu o dan y contract. Bydd yn bosibl ystyried bod teler yn amlwg a thryloyw os yw'n cael ei 'fynegi mewn iaith glir a dealladwy a'i fod (yn achos telerau ysgrifenedig) yn ddarllenadwy'.

Atodlen 2

Mae hon yn rhestru'r telerau 'annelwig' a all gael eu hystyried yn rhai annheg. Gallai'r rhain gynnwys y canlynol, ond heb gael eu cyfyngu iddynt:

- ffioedd a thaliadau wedi'u cuddio yn y print mân
- rhywbeth sy'n ceisio cyfyngu ar hawliau cyfreithiol y defnyddiwr
- cosb afresymol am fethu taliadau
- cosb ormodol am ddod â'r contract i ben yn gynnar.

Rheoliadau Contractau Defnyddwyr (Gwybodaeth, Canslo a Thaliadau Ychwanegol) 2013

Mae'r Rheoliadau hyn yn ymdrin â siopa ar-lein, ac maen nhw'n dod â *Chyfarwyddeb Hawliau Defnyddwyr* yr UE i mewn i gyfraith y DU. Maen nhw hefyd yn cymryd lle'r *Rheoliadau Gwerthu o Bell*.

Mae'r Rheoliadau yn ei gwneud yn ofynnol i fasnachwyr roi gwybodaeth benodol cyn llunio contract, ac maen nhw'n gymwys i bob contract sy'n cael ei lunio ar ôl 13 Mehefin 2014. Maen nhw'n ymdrin â gwerthu nwyddau ar y we, dros y ffôn, o gatalog neu wyneb yn wyneb yn unrhyw le heblaw safle busnes y masnachwr (e.e. cartref y defnyddiwr). Eu nod yw amddiffyn defnyddwyr rhag arferion annheg.

GWELLA GRADD

Mae cysyniad **didwylledd** yn debyg iawn i'r prawf gafodd ei amlinellu yn neddf flaenorol *Rheoliadau Contractau Defnyddwyr 1999*, felly mae'r gyfraith achos a helpodd i nodi telerau annheg yn dal i sefyll fel cyfraith dda:

- *Aziz v Caixa d'Estalvis de Catalunya (2013)*
- *Interfoto Picture Library Ltd v Stiletto Visual Programmes Ltd (1989)*
- *Director General of Fair Trading v First National Bank (2001)*.

Os ydych yn ateb cwestiwn problem yn y maes hwn, bydd angen i chi sefydlu a yw'r contract rhwng defnyddiwr a busnes, neu a yw rhwng dau fusnes.

Mae'r wybodaeth allweddol y dylai masnachwr ei rhoi yn cynnwys y canlynol:

1. Disgrifiad o'r nwyddau, y gwasanaethau neu'r cynnwys digidol, gan gynnwys pa mor hir bydd rhaid i'r defnyddiwr ymrwymo.

2. Cyfanswm pris y nwyddau, y gwasanaeth neu'r cynnwys digidol, neu sut bydd y pris yn cael ei gyfrifo.

3. Sut bydd y defnyddiwr yn talu am y nwyddau neu'r gwasanaethau, a phryd byddan nhw'n cael eu darparu.

4. Unrhyw gostau dosbarthu ychwanegol a chostau eraill.

5. Manylion pwy sy'n talu'r gost o ddychwelyd eitemau os oes hawl canslo.

6. Manylion unrhyw hawl canslo. Mae angen i'r masnachwr ddarparu ffurflen ganslo safonol hefyd, neu sicrhau bod ffurflen o'r fath ar gael, i wneud canslo'n hawdd.

7. Gwybodaeth am y gwerthwr, yn cynnwys ei gyfeiriad a'i fanylion cyswllt a chyfeiriad ac enw unrhyw fasnachwr arall os yw'r masnachwr yn gweithredu ar ei ran.

8. Gwybodaeth sy'n nodi a yw cynnwys digidol yn gallu gweithio gyda mathau eraill o galedwedd a meddalwedd y mae'r masnachwr yn gwybod amdanynt.

Canslo nwyddau

Mae hawliau canslo o dan y Rheoliadau yn fwy hael na phe bai nwyddau neu wasanaeth yn cael eu prynu mewn siop.

Dyma'r eithriadau i'r rheolau ar ganslo:

- CDs, DVDs neu feddalwedd os yw'r deunydd lapio wedi'i agor
- eitemau darfodus
- eitemau sydd wedi'u teilwra'n arbennig neu eu personoli.

Dyddiad prynu	Mae'r **hawl i ganslo** yn dechrau y funud mae'r defnyddiwr yn archebu, ac yn gorffen **14 diwrnod** ar ôl iddo dderbyn y nwyddau.
14 diwrnod	Mae gan y defnyddiwr **14 diwrnod ychwanegol** i **ddychwelyd y nwyddau** at y masnachwr.
28 diwrnod	Mae gan y masnachwr **14 diwrnod ychwanegol arall** i roi ad-daliad, a hynny o'r dyddiad pan mae'n derbyn y nwyddau neu'r dyddiad pan mae'r defnyddiwr yn rhoi tystiolaeth ei fod wedi dychwelyd y nwyddau.

Canslo gwasanaethau

Mae gan y defnyddiwr 14 diwrnod i ganslo, er efallai bydd yn rhaid iddo dalu am unrhyw wasanaeth mae wedi'i ddefnyddio hyd at yr adeg pan mae'n canslo.

Yn achos **cynnwys digidol**, rhaid i'r defnyddiwr gydnabod ei fod yn colli ei hawl i ganslo unwaith bydd y cynnwys wedi dechrau llwytho. Rhaid i adwerthwyr gyflenwi cynnwys digidol cyn pen y cyfnod canslo 14 diwrnod, **oni bai** fod y defnyddiwr wedi rhoi caniatâd i ymestyn y cyfnod hwn.

Cymalau eithrio

Mae **cymal eithrio** i'w gael pan fydd un parti yn y contract yn ceisio eithrio pob atebolrwydd am dor-contract, neu gyfyngu atebolrwydd. Mae'r gyfraith wedi ceisio rheoli defnydd y cymalau hyn, drwy gyfraith gwlad a statud, gan eu bod yn annheg â'r defnyddiwr.

Cyfraith gwlad/cyfraith gyffredin

Yn gyffredinol, nid yw defnyddio cymalau eithrio yn cael ei gymeradwyo, yn enwedig os ydyn nhw'n cael eu llunio gan barti sydd â llawer mwy o rym bargeinio na'r llall. Er mwyn rheoleiddio cymalau eithrio, mae'r llysoedd yn gofyn dau gwestiwn:

1. **A yw'r cymal wedi cael ei ymgorffori yn y contract?** Gall hyn gael ei wneud drwy lofnod, rhybudd rhesymol neu drwy drefn flaenorol o ddelio.

2. **A yw'r cymal yn cwmpasu'r tor-contract honedig?**

15

Ymgorffori drwy lofnod

Os cafodd y contract ei lofnodi ar adeg llunio'r contract, rhagdybir bod y cynnwys yn dod yn delerau'r contract, dim ots os yw'r partïon wedi darllen y telerau neu beidio, cyn belled â bod dim tystiolaeth o dwyll neu gamliwio.

L'Estrange v Graucob (1934)

Roedd yr achos hwn yn ymwneud â rhentu peiriant gwerthu (vending machine). Roedd yr hawlydd wedi llofnodi'r contract heb ei ddarllen, a heb sylweddoli bod cymal yn y contract oedd yn eithrio atebolrwydd am y cynnyrch. Doedd dim ffordd i'r hawlydd gael iawndal pan oedd nam ar y peiriant, oherwydd ystyriwyd ei bod hi wedi ei rhwymo i'r contract ar ôl iddi lofnodi'r contract.

Ymgorffori drwy rybudd rhesymol

Os bydd parti yn rhoi telerau ysgrifenedig ar wahân ar yr adeg pan fydd y contract yn cael ei lunio, ni fydd y telerau hynny yn dod yn rhan o'r contract nes i'r defnyddiwr gael rhybudd rhesymol amdanyn nhw.

Parker v South Eastern Railway (1877)

Roedd tocyn ar gyfer ystafell gotiau yn cynnwys manylion oriau agor yr ystafell gotiau, a hefyd y geiriau 'Gweler y cefn'. Ar y cefn, roedd cymal cyfyngu yn honni bod y cwmni yn atebol am ddim mwy na £10 am unrhyw eiddo fyddai'n mynd ar goll ar ôl ei adael gyda nhw. Pan geisiodd yr hawlydd gyflwyno hawliad am ei fag gwerth £24, methodd yr achos gan yr ystyriwyd ei fod wedi cael rhybudd rhesymol am y cymal cyfyngu.

Wrth benderfynu a gafodd rhybudd rhesymol ei roi, bydd y llysoedd yn edrych ar yr **amser** pan gafodd y rhybudd ei roi. Hynny yw, dylai fod wedi cael ei roi ar yr un pryd ag y cafodd y contract ei lunio, neu cyn hynny.

Olley v Marlborough Court Ltd (1949)

Roedd telerau'r contract, gan gynnwys y cymalau eithrio, ar gefn drws gwesty. Ni fyddai'r gwesteion wedi ei weld nes iddyn nhw gyrraedd eu hystafell, ac erbyn hynny byddai'r contract wedi cael ei lunio yn barod. Barnwyd bod hyn yn rhy hwyr i gael ei ystyried yn 'rhybudd rhesymol'.

Mae **ffurf** y rhybudd hefyd yn bwysig. Dylai pob rhybudd am gymalau eithrio gael ei roi mewn dogfen y byddai'n rhesymol i'r hawlydd ddisgwyl iddi gynnwys telerau contract.

Chapelton v Barry UDC (1940)

Cafodd cymalau eithrio eu hargraffu ar gefn tocyn a roddwyd yn gyfnewid am brynu cadair gynfas ar draeth. Barnwyd bod hyn yn fwy tebyg i dderbynneb, ac felly na fyddai rhywun rhesymol yn disgwyl iddo gynnwys telerau contract.

Yn fwy diweddar, mae llysoedd wedi barnu mai y mwyaf anarferol neu feichus yw teler, y mwyaf o rybudd sydd ei angen er mwyn ei ymgorffori.

YMESTYN A HERIO

Cafodd cysyniad rhybudd ei drafod yn achos mwy diweddar *O'Brien v MGN (2001)*, yn ymwneud â chystadleuaeth papur newydd yn cynnwys cardiau crafu (*scratchcards*). Ymchwiliwch i'r achos hwn, a thrafodwch a roddwyd rhybudd rhesymol o'r rheolau i ddefnyddwyr, neu beidio.

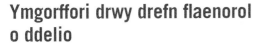

Ymgorffori drwy drefn flaenorol o ddelio

Os yw dau barti wedi llunio contractau gyda'i gilydd o'r blaen, a bod y contractau hynny wedi cynnwys cymal eithrio neu gyfyngu, yna rhagdybir bod yr un cymalau eithrio yn gymwys i drafodion dilynol, hyd yn oed os nad yw'r rhain wedi cael eu hymgorffori yn y ffordd arferol.

Spurling v Bradshaw (1956)
Roedd y partïon wedi bod yn delio â'i gilydd am nifer o flynyddoedd, ac ar yr adeg dan sylw, wnaethon nhw ddim cael y dogfennau yn cynnwys y cymalau eithrio nes i'r contract gael ei gwblhau. Collodd yr hawlydd ei achos, er na chafodd rhybudd rhesymol ei roi y tro hwn, ar y sail fod y partïon wedi delio gyda'i gilydd ddigon o weithiau yn y gorffennol i warantu bod y cymal wedi'i ymgorffori y tro hwn.

Os penderfynir bod cymal eithrio neu gyfyngu wedi cael ei ymgorffori'n gywir, bydd y llysoedd yn penderfynu a yw'r cymal yn cwmpasu'r tor-contract. Os yw geiriau'r cymal yn amwys, yna bydd y llysoedd yn eu dehongli yn y ffordd leiaf ffafriol i'r parti sy'n dibynnu arnyn nhw. Bydd hyn yn helpu i amddiffyn y defnyddiwr rhag iaith sy'n fwriadol annelwig ac amwys mewn contractau. Yr enw ar hyn yw rheol ***contra proferentem***.

Deddf Telerau Contract Annheg 1977

Mae rheolau statudol ar gyfer cymalau eithrio a chyfyngu wedi'u cynnwys o fewn *Deddf Telerau Contract Annheg 1977*, dim ond ar gyfer contractau sydd ddim yn cynnwys defnyddwyr. Mae defnyddwyr yn cael eu hamddiffyn o fewn *Deddf Hawliau Defnyddwyr 2015* fel amlinellwyd ar dudalen 12.

Pwrpas *Deddf Telerau Contract Annheg 1977* yw creu elfen o reolaeth dros gymalau eithrio a chyfyngu. Mae'n berthnasol i atebolrwydd sy'n deillio o drefn busnes yn unig, ac mewn perthynas ag atebolrwydd rhwng un busnes a'r llall. Dyma'r prif ddarpariaethau:

Adran 2: Eithrio atebolrwydd am esgeuluster
- *Adran 2(1)*: Ni all busnes eithrio na chyfyngu ar atebolrwydd am farwolaeth neu anaf personol o ganlyniad i esgeuluster.
- *Adran 2(2)*: Gall busnes eithrio neu gyfyngu ar atebolrwydd am fathau eraill o golled os yw'n **rhesymol** gwneud hynny. Mae'r prawf **rhesymoldeb** wedi'i nodi yn *adran 11*.

Adran 3: Eithrio atebolrwydd am dor-contract
Yn amodol ar brawf **rhesymoldeb** *adran 11*, ni all busnes:
- eithrio neu gyfyngu ar atebolrwydd am dor-contract
- cyflawni'n sylweddol o wahanol i'r hyn a ddisgwylir yn rhesymol
- peidio â chyflawni o gwbl.

Adran 6: Eithrio atebolrwydd mewn contractau ar gyfer gwerthu nwyddau
Nid yw'n bosibl eithrio cymalau sy'n ymhlyg yn ôl statud, fel y rhai o fewn *Deddf Hawliau Defnyddwyr 2015*.

Adran 11: Prawf rhesymoldeb
Dylai'r llys ofyn iddo'i hun a yw'r teler dan sylw yn:

'un teg a rhesymol i'w gynnwys o ystyried yr amgylchiadau a oedd yn hysbys i'r partïon, neu a ddylai'n rhesymol fod wedi bod yn hysbys iddynt, neu ym meddyliau'r partïon, pan gafodd y contract ei lunio'.

Atodlen 2

Dyma'r ffactorau i'w hystyried wrth gymhwyso prawf rhesymoldeb:

1) Pa mor gryf yw sefyllfaoedd bargeinio'r partïon, gan ystyried y cyflenwyr eraill sydd ar gael i'r prynwr.

2) A gafodd y cwsmer ryw fath o gymhelliad i dderbyn y teler – er enghraifft, a roddwyd cyfle iddo dalu pris uwch heb y cymal eithrio.

3) A oedd y cwsmer yn gwybod am y teler, neu a ddylai fod wedi gwybod am y teler, ac a yw telerau o'r fath yn cael eu defnyddio'n gyffredin mewn masnach benodol.

4) Os yw eithriad yn ymwneud ag amod heb ei gyflawni, rhaid ystyried a oedd hi'n rhesymol ymarferol i gydymffurfio â'r amod.

5) A oedd y nwyddau wedi'u gwneud neu eu haddasu yn unol ag archeb arbennig y cwsmer.

Un o'r achosion cyntaf i ddod o flaen y llysoedd o dan *Ddeddf Telerau Contract Annheg 1977* oedd *George Mitchell (Chesterhall) Ltd v Finney Lock Seeds Ltd (1983)*.

George Mitchell (Chesterhall) Ltd v Finney Lock Seeds Ltd (1983)

Roedd yr hawlydd yn ffermwr a brynodd 30 pwys o hadau bresych gan y diffynyddion am £192. Plannodd yr hawlydd yr hadau bresych ar 63 acer o dir, a threuliodd lawer o amser yn gofalu am y cnydau. Un ddeilen fach werdd yn unig oedd yn tyfu o'r hadau, a honno heb fod yn addas i bobl ei bwyta. Roedd y contract yn cynnwys cymal oedd yn cyfyngu'r atebolrwydd i bris yr hadau. Roedd yr hawlydd wedi colli £60,000, a llog, ar yr hadau diffygiol.

Roedd y Llys Apêl o'r farn bod y cymal yn afresymol gan na fyddai'r prynwr yn ymwybodol o'r nam – ond byddai'r gwerthwr yn gwybod amdano.

Pwysigrwydd telerau

Pan fydd telerau contract yn cael eu torri, mae'n bwysig gwybod pa fath o deler sydd wedi ei dorri. Gall telerau contract fod yn **amodau**, **gwarantau** neu **delerau anenwol**.

Amodau

Amod yw teler mewn contract sydd mor bwysig i'r contract nes byddai peidio â chyflawni'r amod yn gwneud y contract yn ddiwerth. Os yw amod wedi'i dorri, mae gan yr hawlydd hawl i'r dewis ehangaf o rwymedïau: iawndal, neu ymwrthodiad, neu'r ddau.

Mae unrhyw un o'r telerau sy'n ymhlyg yn ôl statud yn cael ei ystyried yn amod hefyd, o ran effaith torri'r teler hwnnw.

Gwarantau

Mae **gwarant** yn un o fân delerau contract. Os yw'r gwarant wedi ei dorri, gall y parti a niweidiwyd ddwyn achos am iawndal, ond nid am ymwrthodiad (gwrthod y contract). Mae gwarantau'n cael eu hystyried yn rhwymedigaethau sy'n eilradd i brif bwrpas y contract.

Telerau anenwol

Mae **teler anenwol** yn un o delerau contract na ellir dweud ei fod yn warant nac yn amod – felly mae'n cael ei nodi fel teler anenwol tan i'r contract gael ei dorri. Y syniad yw y bydd y contract yn cael ei ymwrthod mewn achos o dor-contract dim ond os yw hynny'n deg i'r ddwy ochr.

Nid oes sicrwydd beth fydd y **rhwymedi** nes i hyd a lled y tor-contract gael ei ystyried, a bod y barnwr yn datgan y rhwymedi priodol.

Crynodeb: Telerau datganedig ac ymhlyg

Telerau datganedig

▶ Yn cael eu hymgorffori drwy:
  - eu hysgrifennu yn y contract, neu
  - gwneud datganiad cyn dod â'r contract i ben
▶ Canllawiau:
  - Faint o bwys sy'n cael ei roi ar y datganiad
  - Gwybodaeth a sgìl yr unigolyn sy'n gwneud y datganiad
  - Amseru'r datganiad

Telerau ymhlyg: Yn ôl ffaith

▶ Achos amlwg: *Marks and Spencer v BNP Paribas (2015)*
▶ Mae'r teler:
  - yn **ymhlyg** pe bai diffyg cydlyniad masnachol neu ymarferol i'r contract hebddo
  - yn gorfod bod yn angenrheidiol o ran **effeithlonrwydd busnes**: *The Moorcock (1889)*
  - yn gorfod bodloni **prawf y sylwebydd ymyrgar**: *Shirlaw v Southern Foundries (1926)*

Telerau ymhlyg: Yn ôl y gyfraith

▶ *Deddf Hawliau Defnyddwyr 2015:* **Gwerthu nwyddau**
  - *Adran 9*: Ansawdd boddhaol
  - *Adran 10*: Addas i'r pwrpas
  - *Adran 11*: Yn ôl y disgrifiad
▶ *Deddf Hawliau Defnyddwyr 2015:* **Cyflenwi gwasanaethau**
  - *Adran 49*: Gofal a sgìl rhesymol
  - *Adran 50*: Gwybodaeth sy'n rhwymo
  - *Adran 51*: Pris rhesymol
  - *Adran 52*: Amser rhesymol

Telerau annheg: Yn ôl y gyfraith

▶ *Deddf Hawliau Defnyddwyr 2015:* **Telerau annheg**
  - *Adran 62*: Os yw unrhyw deler yn annheg o dan y Ddeddf, nid yw'n rhwymol.

ACHOS ALLWEDDOL

Gwarantau
Bettini v Gye (1876)

TERMAU ALLWEDDOL

rhwymedi: pan fydd llys yn rhoi dyfarniad o blaid y parti a gafodd ei drin yn anghyfiawn mewn achos sifil, er mwyn 'unioni'r cam'.

ACHOSION ALLWEDDOL

Telerau anenwol
Hong Kong Fir Shipping Co Ltd v Kawasaki Ltd (1962)
Schuler AG v Wickman Machine Tool Sales Ltd (1973)
Reardon Smith Line v Hansen Tangen (1976)

▶ *Rheoliadau Contractau Defnyddwyr (Gwybodaeth, Canslo a Thaliadau Ychwanegol) 2013*

- Mae'r rhain yn amlinellu gwybodaeth allweddol i'w rhoi i ddefnyddwyr cyn llunio contract ar y we, dros y ffôn neu o gatalog
- Mae gan y defnyddiwr hawl i ganslo cyn pen **14 diwrnod** ar ôl archebu

Cymalau eithrio: Cyfraith gwlad/cyfraith gyffredin

▶ Rhaid cynnwys cymalau eithrio:

- drwy lofnod
- drwy rybudd rhesymol
- drwy drefn flaenorol o ddelio

▶ Rhaid i'r cymal eithrio gwmpasu'r tor-contract:

- rheol *contra proferentem*

Cymalau eithrio: Statud

▶ Mae *Deddf Telerau Contract Annheg 1977* yn gymwys i gontractau sydd heb ymwneud â defnyddwyr yn unig

- *Adran 2*: Eithrio atebolrwydd am esgeuluster
- *Adran 3*: Eithrio atebolrwydd am dor-contract
- *Adran 6*: Eithrio atebolrwydd mewn contractau ar gyfer gwerthu nwyddau
- *Adran 11*: Prawf rhesymoldeb

Camliwio a gorfodaeth economaidd

Adran y fanyleb	Cynnwys Allweddol	Amcanion Asesu	Ble mae'r pwnc hwn yn ymddangos yn y fanyleb/arholiad?
CBAC Safon Uwch 3.9: Camliwio a gorfodaeth economaidd	• Camliwio twyllodrus: ystyr camliwio twyllodrus a'r rhwymedïau sydd ar gael • Camliwio anfwriadol: ystyr camliwio anfwriadol a'r rhwymedïau sydd ar gael • Camliwio esgeulus: ystyr camliwio esgeulus a'r rhwymedïau sydd ar gael • Deddf Camliwio 1967: camliwio statudol o dan a2, y cyfyngiad ar atebolrwydd o dan a3 a'r rhwymedïau sydd ar gael • Gorfodaeth economaidd: ystyr gorfodaeth economaidd, sut mae'n wahanol i orfodaeth gorfforol ac unrhyw rwymedïau sydd ar gael	**AA1** Dangos gwybodaeth a dealltwriaeth o reolau ac egwyddorion cyfreithiol **AA2** Cymhwyso rheolau ac egwyddorion cyfreithiol at senarios penodol er mwyn cyflwyno dadl gyfreithiol gan ddefnyddio terminoleg gyfreithiol briodol **AA3** Dadansoddi a gwerthuso rheolau, egwyddorion, cysyniadau a materion cyfreithiol	**CBAC U2:** Uned 3; Adran B. Uned 4; Adran B

Beth yw camliwio?

Ymliwiad yw datganiad sy'n cael ei wneud ar adeg llunio'r contract, ac sy'n gallu cael ei ymgorffori yn y contract.

Ond os yw'r ymliwiad yn cael ei wneud ar gam, gall fod yn **gamliwio**, gan olygu bod modd dirymu'r contract.

Diffiniad cyfreithiol

Dyma yw camliwio:

- **datganiad o ffaith/ffeithiau perthnasol** (*Bisset v Wilkinson (1927), Edgington v Fitzmaurice (1885)*)

- a wneir gan **un parti i gontract i'r parti arall i'r contract** (*Peyman v Lanjani (1985)*)

- yn ystod y negodi **sy'n arwain at lunio'r contract** (*Roscorla v Thomas (1842)*)

- ac a fwriadwyd i weithredu, ac **a wnaeth weithredu, fel cymhelliad** i'r parti arall ymrwymo i'r contract (*JEB Fasteners Ltd v Marks Bloom & Co Ltd (1983), Attwood v Small (1838)*)

- ond **oedd heb ei fwriadu i fod yn rhwymedigaeth rwymol** (*Couchman v Hill (1947)*) o dan y contract, ac a oedd yn **anwir neu wedi'i ddatgan yn anghywir**.

CYFRAITH CONTRACT

21

Camliwio twyllodrus

Os yw rhywun yn gwneud honiad o gamliwio twyllodrus, rhaid profi'r twyll hefyd. Os yw unigolyn yn gwneud datganiad anwir ac nad yw'n credu ei fod yn wir ar y pryd, dangosodd *Derry v Peak (1889)* fod hyn yn gamliwio twyllodrus. Bydd yr hawlydd yn dwyn achos am iawndal o dan gyfraith camwedd ystryw. Fodd bynnag, mae'r achos uchod wedi'i wrthdroi gan statud erbyn hyn, fel sydd wedi ei godeiddio o fewn *Deddf Cwmnïau 2006*.

Bydd iawndal yn cael ei ddyfarnu yn ôl camwedd ystryw, ac mae hefyd ar gael o dan *a2(1) Deddf Camliwio 1967*. Mae rhwymedi ecwitïol **dadwneuthuriad** hefyd ar gael (hynny yw, dirymu'r contract fel pe bai heb ddigwydd o gwbl).

Mae'r diffynnydd yn gyfrifol am bob colled, yn cynnwys unrhyw golled ganlyniadol, cyn belled â bod cysylltiad o ran achosiaeth rhwng y camliwio twyllodrus a cholled yr hawlydd.

Camliwio esgeulus

Mae tri pheth yn ofynnol:

1. Rhaid bod gan y parti sy'n gwneud y datganiad y math penodol o wybodaeth sy'n angenrheidiol ar gyfer y cyngor.
2. Rhaid bod agosrwydd digonol rhwng y ddau barti fel ei fod yn rhesymol dibynnu ar y datganiad.
3. Mae'r parti y gwneir y datganiad iddo yn dibynnu ar y datganiad, ac mae'r parti sy'n gwneud y datganiad yn ymwybodol o'r ddibyniaeth honno.

Bydd iawndal yn cael ei ddyfarnu yn ôl ffordd safonol cyfraith camwedd o fesur esgeuluster, neu o dan *a2(1) Deddf Camliwio 1967*. Mae rhwymedi ecwitïol dadwneuthuriad ar gael hefyd.

Camliwio anfwriadol

Yn y gorffennol, os oedd unrhyw gamliwio heb fod yn gamliwio twyllodrus, byddai'n cael ei gyfrif yn gamliwio anfwriadol, dim ots sut cafodd ei wneud.

Ers sefydlu egwyddor **Hedley Byrne** a phasio *Deddf Camliwio 1967*, dim ond un math o gamliwio y mae'n bosibl honni ei fod wedi ei wneud yn anfwriadol. Camliwio yw hwn lle mae parti'n gwneud datganiad gan gredu'n onest ei fod yn wir – er enghraifft, gallai parti ailadrodd gwybodaeth anghywir, heb wybod beth yw'r gwir.

Y prif rwymedi ar gyfer camliwio anfwriadol yw rhwymedi ecwitïol dadwneuthuriad. Mae iawndal hefyd ar gael o dan *a2(1) Deddf Camliwio 1967*.

Camliwio o dan statud

Adran 2(1) Deddf Camliwio 1967

Mae'r adran hon yn nodi:

'Os yw unigolyn wedi ymrwymo i gontract ar ôl i barti arall i'r contract wneud camliwiad iddo, a'i fod ar ei golled o ganlyniad i hynny, yna pe bai disgwyl i'r unigolyn a wnaeth y camliwio roi iawndal am hynny pe bai'r camliwio wedi ei wneud yn dwyllodrus, bydd yr unigolyn hwnnw'n atebol er na wnaed y camliwio yn dwyllodrus. Mae hyn yn gymwys oni bai y gall brofi bod ganddo sail resymol i gredu bod y ffeithiau a gynrychiolwyd yn wir, a'i fod yn credu hynny hyd at adeg ymrwymo i'r contract.'

Mewn geiriau eraill, os yw parti wedi dioddef camliwio, gall gymryd camau heb orfod profi twyll na bodolaeth perthynas arbennig yn ôl meini prawf **Hedley Byrne**. Mae baich y prawf wedi'i wyrdroi fel bod rhaid i'r sawl sy'n gwneud y datganiad brofi nad oedd yn esgeulus.

GWELLA GRADD

Ymchwiliwch i'r achosion allweddol hyn yn ymwneud â chamliwio, gan ddod o hyd i'r ffeithiau a'r dyfarniadau yn y ddau achos. Sut cafodd yr achosion eu datrys yn y pen draw?

- *Howard Marine and Dredging Co Ltd v A Ogden and Sons (Evacuations) Ltd (1978)*
- *Spice Girls Ltd v Aprilia World Service (2002)*

Adran 2(2) Deddf Camliwio 1967

O dan *a2(2) Deddf Camliwio 1967*, gall y barnwr benderfynu pa rwymedi i'w roi. Felly ni fydd dadwneuthuriad yn bosibl os yw'r barnwr yn penderfynu bod iawndal yn rhwymedi mwy priodol.

Gorfodaeth economaidd

Mae'n bosibl rhoi contract o'r neilltu os oes pwysau eithafol wedi ei roi sy'n ei wneud yn anymarferol yn fasnachol (gorfodaeth economaidd). Mae angen bodloni pum amod i gael achos o orfodaeth:

1. Cafodd pwysau ei roi ar y parti contractio: *North Ocean Shipping Co v Hyundai Construction Co (1979) (The Atlantic Baron)*.
2. Roedd y pwysau a roddwyd yn anghyfreithlon: *Atlas Express Ltd v Kafco (Importers and Distributors) Ltd (1989)*.
3. Roedd y pwysau wedi cymell yr hawlydd i ymrwymo i'r contract: *Barton v Armstrong (1975)*.
4. Doedd gan yr hawlydd ddim dewis ond ymrwymo i'r contract: *Universe Tankships v International Transport Workers' Federation (1983)*.
5. Protestiodd yr hawlydd ar y pryd neu'n fuan ar ôl llunio'r contract: *North Ocean Shipping Co v Hyundai Construction Co (1979) (The Atlantic Baron)*.

YMESTYN A HERIO

Gan weithio gyda'r dosbarth neu mewn grŵp, trafodwch fanteision dwyn achos o gamliwio o dan statud, yn hytrach nag o dan gyfraith gwlad/cyfraith gyffredin. Dylech gloi drwy werthuso'r gyfraith ar gamliwio ac ystyried a yw'n rhoi rhwymedi digonol i ddefnyddwyr.

Sgiliau Arholiad

Gallai'r pwnc hwn ymddangos yn arholiadau U2 CBAC unedau 3 a 4.

Gwnewch yn siŵr eich bod chi'n gallu **dadansoddi** a **gwerthuso** camliwio a gorfodaeth economaidd, a hefyd eich bod chi'n gallu **cymhwyso** rheolau ac egwyddorion cyfreithiol camliwio a gorfodaeth economaidd i senarios penodol.

Crynodeb: Camliwio a gorfodaeth economaidd

Camliwio

▶ Diffiniadau:

- datganiad anwir mewn contract sy'n gallu golygu bod modd dirymu'r contract

- datganiad o ffaith/ffeithiau perthnasol, a wneir gan un parti mewn contract i'r parti arall wrth negodi'r contract, a fwriadwyd i weithredu, ac a wnaeth weithredu, fel cymhelliad i'r parti arall ymrwymo i'r contract, ond oedd heb ei fwriadu i fod yn rhwymedigaeth rwymol o dan y contract, ac a oedd yn anwir neu wedi'i ddatgan yn anghywir

Camliwio twyllodrus

▶ Rhaid profi'r twyll: *Derry v Peak (1889)* ond cafodd ei wrthdroi gan *Ddeddf Cwmnïau 2006*

▶ Rhwymedïau:

- Iawndal yn ôl mesur cyfraith camwedd o ystryw
- Iawndal o dan *a2(1) Deddf Camliwio 1967*
- Rhwymedi ecwitïol dadwneuthuriad

Camliwio esgeulus

▶ Egwyddor **Hedley Byrne**: *Hedley Byrne v Heller & Partners (1964)*

▶ Tri gofyniad:

1. Gwybodaeth   **2.** Agosrwydd   **3.** Dibyniaeth

▶ Rhwymedïau:

- Iawndal yn ôl mesur cyfraith camwedd o esgeuluster
- Iawndal o dan *a2(1) Deddf Camliwio 1967*
- Rhwymedi ecwitïol dadwneuthuriad

Camliwio anfwriadol

▶ *Deddf Camliwio 1967*: dim ond ar gyfer hawliadau pan fydd parti yn credu bod ei ddatganiad anwir yn wir

▶ Rhwymedïau:

- Rhwymedi ecwitïol dadwneuthuriad
- Iawndal o dan *a2(1) Deddf Camliwio 1967*

Camliwio o dan statud

▶ *Adran 2(1) Deddf Camliwio 1967*

- Does dim angen profi twyll na pherthynas arbennig o dan feini prawf *Hedley Byrne*
- Rhaid i'r sawl sy'n gwneud y datganiad brofi nad oedd yn esgeulus
- *Howard Marine and Dredging Co Ltd v A Ogden and Sons (Evacuations) Ltd (1978)* a *Spice Girls Ltd v Aprilia World Service (2002)*

▶ *Adran 2(2) Deddf Camliwio 1967*: Y barnwr sy'n penderfynu ar y rhwymedi

Gorfodaeth economaidd

▶ Mae pwysau eithafol yn gwneud contract yn anymarferol yn fasnachol (gorfodaeth economaidd)

▶ Pum amod:

1. Rhoddwyd pwysau ar y parti sy'n contractio: *North Ocean Shipping Co v Hyundai Construction Co (1979) (The Atlantic Baron)*

2. Roedd y pwysau'n anghyfreithlon: *Atlas Express Ltd v Kafco (Importers and Distributors) Ltd (1989)*

3. Roedd y pwysau wedi cymell yr hawlydd i ymrwymo i'r contract: *Barton v Armstrong (1975)*

4. Doedd gan yr hawlydd ddim dewis ond ymrwymo i'r contract: *Universe Tankships v International Transport Workers' Federation (1983)*

5. Protestiodd yr hawlydd yn fuan: *North Ocean Shipping Co v Hyundai Construction Co (1979) (The Atlantic Baron)*

Troseddau corfforol angheuol

Adran y fanyleb	Cynnwys Allweddol	Amcanion Asesu	Ble mae'r pwnc hwn yn ymddangos yn y fanyleb/arholiad?
CBAC UG/U2 3.14: Troseddau corfforol	• Trosedd angheuol llofruddiaeth: elfennau a chymhwyso'r gyfraith • Trosedd angheuol dynladdiad anwirfoddol. Elfennau a chymhwyso'r gyfraith, gan gynnwys dynladdiad drwy ddehongliad, dynladdiad drwy esgeuluster difrifol • Trosedd angheuol dynladdiad gwirfoddol: elfennau a chymhwyso'r gyfraith, amddiffyniadau colli rheolaeth a chyfrifoldeb lleihaedig	**AA1** Dangos gwybodaeth a dealltwriaeth o reolau ac egwyddorion cyfreithiol **AA2** Cymhwyso rheolau ac egwyddorion cyfreithiol at senarios penodol er mwyn cyflwyno dadl gyfreithiol gan ddefnyddio terminoleg gyfreithiol briodol **AA3** Dadansoddi a gwerthuso rheolau, egwyddorion, cysyniadau a materion cyfreithiol	**CBAC UG/U2:** Uned 3

Sgiliau Arholiad

Ar lefel Safon Uwch, mae testun 'Troseddau corfforol' wedi'i rannu yn droseddau angheuol a throseddau heb fod yn angheuol. Mae'r agweddau hyn ar y testun yn debygol o ymddangos ar wahân yn yr arholiad. **Mae'n ofynnol i fyfyrwyr wybod am droseddau angheuol (lladdiad) a throseddau heb fod yn angheuol.** Ymdrinnir â throseddau angheuol yn y llyfr hwn, a throseddau heb fod yn angheuol yn Llyfr 1.

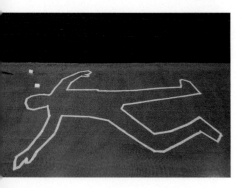

Llofruddiaeth

Dyma'r drosedd fwyaf difrifol o holl droseddau **lladdiad**. Nid yw'r diffiniad o lofruddiaeth wedi'i gynnwys mewn statud; yn wir, mae'n drosedd cyfraith gwlad, a rhoddwyd diffiniad ohoni gan yr **Arglwydd Ustus Coke** yn yr ail ganrif ar bymtheg: 'lladd, mewn ffordd anghyfreithlon, unigolyn rhesymol sy'n bodoli o dan Heddwch y Brenin (neu'r Frenhines), gyda malais bwriadus datganedig neu ymhlyg'.

Mae **achosiaeth** yn elfen hanfodol y mae'n rhaid ei phrofi mewn achosion o lofruddiaeth, am ei bod yn drosedd **canlyniad**. Mae'n rhaid profi bod y diffynnydd wedi **achosi** marwolaeth y dioddefwr **mewn ffaith** ac **mewn cyfraith**. Mae'r tabl yn crynhoi'r syniad hwn.

TERMAU ALLWEDDOL

lladdiad: rhywun yn lladd rhywun arall, yn fwriadol neu beidio.

Actus reus	Mens rea
1. Mae bod dynol wedi marw.	**1.** Bwriad o ladd neu o achosi niwed corfforol difrifol.
2. Achosodd y diffynnydd y farwolaeth MEWN FFAITH.	**2.** Gall y bwriad fod yn uniongyrchol neu'n anuniongyrchol.
3. Achosodd y diffynnydd y farwolaeth MEWN CYFRAITH.	

Actus reus

1. Mae bod dynol wedi marw

Mae rhywun yn cyfrif fel bod dynol pan all fodoli yn annibynnol ar ei fam (*AG's reference No 3 of 1994*). Felly, gall rhywun sy'n lladd plentyn yn y groth fod yn atebol yn droseddol o dan y gyfraith, ond nid am drosedd lladdiad. Mae llawer o ddadlau ynghylch ystyr 'marw', ond mae'n ymddangos bod y llysoedd yn ffafrio'r diffiniad bod yr 'ymennydd yn farw'. Cadarnhawyd hyn yn achos *R v Malcherek and Steel (1981)*.

2. Achosodd y diffynnydd y farwolaeth mewn ffaith (achosiaeth ffeithiol)

1. Prawf 'pe na bai'

Mae'r prawf hwn yn gofyn 'pe na bai' am ymddygiad y diffynnydd, a fyddai'r dioddefwr wedi marw pan wnaeth, ac fel y gwnaeth? Os 'na' yw'r ateb, yna bydd y diffynnydd yn atebol am y farwolaeth. Yr achos enghreifftiol yw *R v White (1910)*.

2. Rheol *de minimis*

Ystyr '*de minimis*' yw rhywbeth mân, dibwys neu heb arwyddocâd. Mae'r prawf hwn yn mynnu bod rhaid i'r anaf gwreiddiol a achoswyd gan weithred y diffynnydd fod yn fwy na mân achos marwolaeth. Yr achos enghreifftiol yw *R v Pagett (1983)*.

3. Achosodd y diffynnydd y farwolaeth mewn cyfraith (achosiaeth gyfreithiol)

1. Rhaid i'r anaf fod yn achos gweithredol a sylweddol y farwolaeth

Mae'r prawf hwn yn ystyried ai'r anaf gwreiddiol, a wnaed gan y diffynnydd ar adeg y farwolaeth, yw'r achos gweithredol a sylweddol dros y farwolaeth o hyd; hynny yw, sicrhau nad yw cadwyn achosiaeth wedi cael ei thorri gan ddigwyddiad arall. Achos enghreifftiol yw *R v Smith (1959)*, o'i gyferbynnu ag *R v Jordan (1956)*.

2. Prawf y 'benglog denau'

Rhaid i'r diffynnydd gymryd y dioddefwr fel y mae. Os bydd y dioddefwr yn marw o ryw gyflwr corfforol anarferol neu annisgwyl neu gyflwr arall, mae'r diffynnydd yn dal i fod yn gyfrifol am y farwolaeth. Er enghraifft, wrth iddyn nhw ymladd â'i gilydd, efallai bydd y diffynnydd yn taro ei ddioddefwr gydag ergyd na fyddai'n achosi dim mwy na briw a chleisiau fel arfer. Ond y tro hwn, mae'r dioddefwr yn marw oherwydd bod ganddo benglog anarferol o denau – y diffynnydd, er hynny, sy'n dal yn atebol am y farwolaeth. Un achos enghreifftiol yw *R v Blaue (1975)*.

3. Gweithred ymyrrol ragweladwy

Os yw'r weithred ymyrrol yn rhagweladwy, mae'r llysoedd wedi penderfynu nad yw hyn yn ddigon i dorri'r gadwyn achosiaeth. Ond os yw'r weithred ymyrrol mor anghyffredin nes **nad yw'n** rhagweladwy, gall hon dorri'r gadwyn achosiaeth.

R v Roberts (1971)

Anafwyd menyw ar ôl iddi neidio mewn panig o gar oedd yn symud, oherwydd ei bod yn credu bod y gyrrwr ar fin ymosod yn rhywiol arni. Barnodd y llys fod yr ymateb yn rhagweladwy, ac felly doedd hyn ddim yn ddigon i dorri'r gadwyn achosiaeth.

Mens rea

Diffiniad *mens rea* llofruddiaeth yw **'malais bwriadus'**, sydd wedi dod i olygu bwriad o ladd neu fwriad o achosi niwed corfforol difrifol. Mae'r term 'malais bwriadus' yn creu dryswch, oherwydd does dim rhaid i weithredoedd y diffynnydd fod yn faleisus, a does dim rhaid cael unrhyw ragfwriad.

YMESTYN A HERIO

Edrychwch ar achos *R v Cheshire (1991)*. Roedd yr achos hwn hefyd wedi gofyn a oedd triniaeth feddygol wael yn ddigon i dorri cadwyn achosiaeth. A wnaeth y llys gytuno ag *R v Smith (1959)* neu *R v Jordan (1956)*?

Bwriad uniongyrchol ac anuniongyrchol llofruddiaeth neu niwed corfforol difrifol

BWRIAD I LADD
neu
BWRIAD I ACHOSI NIWED CORFFOROL DIFRIFOL
DPP v Smith (1961)
- Mae 'difrifol' yn waeth na gwir niwed corfforol.
- Mae prawf bwriad yn un goddrychol: hynny yw, rhaid gofyn ai dyna oedd bwriad y diffynnydd, nid bwriad 'unigolyn rhesymol'.

Bwriad uniongyrchol
Mae'r diffynnydd eisiau i'r dioddefwr farw ac mae'n gwneud beth sydd raid i sicrhau hynny.

Bwriad anuniongyrchol
Mae'r diffynnydd yn gallu rhagweld y canlyniadau, ond nid yw eisiau i'r canlyniadau ddigwydd.

R v Moloney (1985)
Roedd y diffynnydd a'i lysdad yn chwarae gyda gwn. Gwasgodd Moloney y triger wrth ymateb i her, gan ladd ei lysdad.

Os yw'r llysoedd yn tueddu i ddod i'r casgliad bod bwriad anuniongyrchol yn dal yn fwriad, meddyliwch am achosion o gynorthwyo hunanladdiad. Yma, mae'r unigolyn yn rhagweld y bydd ei weithredoedd yn achosi marwolaeth rhywun, er nad yw'n dymuno'r canlyniad hwnnw. Edrychwch ar achosion *Diane Pretty* a *Debbie Purdy*. Ydych chi'n cytuno â phenderfyniadau'r llysoedd yn yr achosion hyn?

Ymchwiliwch i achos *Re A (Conjoined Twins) (2000)*, lle byddai llawdriniaeth i achub bywyd un gefell cydgysylltiedig wedi lladd y gefell arall. A yw hyn yn llofruddiaeth yn eich barn chi?

Wrth gymhwyso'r gyfraith i gwestiwn problem, ystyriwch bob elfen o'r drosedd a'i chymhwyso at y cwestiwn. Gweithiwch eich ffordd yn drefnus drwy'r rhestr hon o 'gynhwysion', gan eu cymhwyso i'r senario a chofio defnyddio awdurdod cyfreithiol priodol bob tro.

Wrth asesu a oes bwriad neu beidio, cadwch mewn cof gynigion adroddiad Comisiwn y Gyfraith, 'A New Homicide Act for England and Wales?'. Dylech asesu a fyddai eich casgliad yn wahanol ar sail y diffiniad hwn o fwriad.

Mae gwybod am y diwygiadau sy'n ymwneud â llofruddiaeth yn hanfodol er mwyn llwyddo i ateb cwestiwn sy'n gofyn i chi ddadansoddi a gwerthuso'r gyfraith.

Nid yw'r llysoedd wedi bod yn awyddus i lunio rheol bendant mewn perthynas â bwriad. Ond mae cyfres o achosion wedi dangos mai y mwyaf rhagweladwy yw'r canlyniad, y mwyaf tebygol yw hi fod y diffynnydd wedi bwriadu i'r canlyniad ddigwydd.

Blwyddyn	Achos	Canlyniad
1975	*Hyam v DPP*	Os yw'n bosibl rhagweld canlyniad, mae bwriad wastad yn bresennol hefyd.
1986	*R v Hancock and Shankland*	Y mwyaf tebygol yw'r canlyniad, y mwyaf tebygol yw hi fod y canlyniad wedi ei ragweld, ac felly hefyd wedi ei fwriadu.
1986	*R v Nedrick*	Rhoddodd y barnwr gyfarwyddyd i'r rheithgor y gallen nhw dybio bod bwriad os yw marwolaeth neu niwed corfforol difrifol bron yn sicr o ddigwydd o ganlyniad i weithredoedd y diffynnydd, a bod y diffynnydd yn sylweddoli mai felly y mae.
1998	*R v Woollin*	Newidiwyd y geiriad, fel bod gan reithgor hawl i ganfod bwriad os yw marwolaeth neu niwed corfforol difrifol bron yn sicr o ddigwydd o ganlyniad i weithredoedd y diffynnydd. Mater o dystiolaeth, nid mater o gyfraith, yw hyn.
2003	*R v Matthews and Alleyne*	Dilynwyd y cyfarwyddyd a roddwyd yn *Woollin (1998)*, ac erbyn hyn mae'n ymddangos mai dyma'r dull safonol o weithredu.

R v Hancock and Shankland (1986)
Glowyr ar streic oedd y diffynyddion, ac roedden nhw wedi taflu bloc concrit oddi ar bont i rwystro'r ffordd o dan y bont. Lladdwyd gyrrwr tacsi oedd yn gyrru heibio. Cafwyd y diffynyddion yn euog o lofruddiaeth, ond dilëwyd y ddedfryd ar apêl yn ddiweddarach. Daeth y llys i'r casgliad mai'r mwyaf tebygol oedd y canlyniad, y mwyaf tebygol oedd hi fod y canlyniad wedi ei ragweld, ac felly hefyd wedi ei fwriadu.

R v Nedrick (1986)
Cafwyd y diffynnydd yn euog o lofruddiaeth wedi iddo daflu paraffîn drwy flwch llythyrau menyw gan ei fod yn ddig â hi. Bu farw mab 12 oed y fenyw yn yr ymosodiad. Caniatawyd apêl, a chafwyd Nedrick yn euog o ddynladdiad yn lle llofruddiaeth. Barnodd y llys y dylai'r rheithgor ystyried pa mor debygol oedd y canlyniad, ac a oedd y diffynnydd wedi'i ragweld. Gall y rheithgor wedyn **gasglu** bod bwriad, os yw'n hyderus bod y diffynnydd wedi sylweddoli bod y canlyniad **bron yn sicr.**

R v Woollin (1998)
Tad oedd y diffynnydd a gollodd ei dymer gyda'i fab tair oed pan dagodd ar ei fwyd. Mynnodd y diffynnydd nad oedd wedi bwriadu i'r plentyn farw, ond barnodd y llys bod y farwolaeth o ganlyniad i'w weithredoedd ac yn rhesymol ei rhagweld.

R v Matthews and Alleyne (2003)
Roedd yr achos hwn yn ymwneud â dau ddyn ifanc oedd wedi lladrata oddi ar ddyn 18 oed a'i daflu dros bont. Roedd y dyn wedi dweud wrth y ddau arall cyn iddyn nhw ei daflu nad oedd yn gallu nofio. Boddodd y dyn, a barnodd y llys fod hyn o ganlyniad i weithredoedd y diffynyddion, oedd yn rhesymol ei ragweld.

Beirniadaeth o gyfraith llofruddiaeth

1. Y ddedfryd orfodol o garchar am oes.
2. Dim diffiniad pendant o'r adeg pan fydd 'marwolaeth' yn digwydd.
3. Mae bwriad yn cynnwys bwriad o achosi niwed corfforol difrifol, ond mae'r euogfarn yr un peth (llofruddiaeth).
4. Dim diffiniad pendant o fwriad. Problemau yn ymwneud â bwriad anuniongyrchol.
5. Achosion yn ymwneud ag ewthanasia.

Cynigion i ddiwygio cyfraith llofruddiaeth

Cyhoeddodd Comisiwn y Gyfraith bapur ymgynghorol yn 2005 o'r enw 'A New Homicide Act for England and Wales?' i adolygu cyfraith llofruddiaeth. Mae'r Swyddfa Gartref yn ystyried ei gynigion (i'w gweld ar y dudalen nesaf) ar hyn o bryd.

1. Byddai tair gradd o laddiad.

Llofruddiaeth y radd gyntaf	Llofruddiaeth yr ail radd	Dynladdiad
• Bwriad o ladd. • Bwriad o achosi anaf difrifol. • Mae'r diffynnydd yn ymwybodol bod ei ymddygiad yn golygu risg o achosi marwolaeth.	• Bwriad o achosi niwed difrifol. • Bwriad o achosi rhyw fath o anaf, ac yn ymwybodol o'r risg o farwolaeth. • Bwriad o ladd gyda'r amddiffyniad rhannol fod elfen o gythruddiad, o gyfrifoldeb lleihaedig neu o orfodaeth.	• *Mens rea* esgeulustod difrifol. • Gweithred droseddol, lle roedd y diffynnydd yn bwriadu achosi niwed yn unig, ac nid niwed difrifol. • Roedd y diffynnydd yn sylweddoli risg y weithred, ac wedi rhagweld risg difrifol o achosi anaf.
Dedfryd orfodol o garchar am oes	Dedfryd ddewisol o garchar am oes	

2. Dylid rhoi'r gorau i ddefnyddio cyfraith gwlad i ymdrin â **bwriad**, a defnyddio diffiniad statudol yn ei lle. Byddai hyn yn newid y gyfraith ychydig o gynsail *R v Woollin (1998)*, oherwydd gallai'r rheithgor ddefnyddio bwriad fel rhan o gyfraith sylwedd, ac nid fel rhan o'r dystiolaeth yn unig.

Byddai diffiniad statudol yn darllen fel hyn:

> **Mae unigolyn yn gweithredu yn fwriadol o ran y canlyniad pan fydd ef neu hi yn gweithredu naill ai:**
>
> **er mwyn gwneud iddo ddigwydd; neu**
>
> **gan wybod ei fod bron yn sicr o ddigwydd; neu**
>
> **gan wybod ei fod bron yn sicr o ddigwydd pe bai'n llwyddo yn ei ymgais i achosi rhyw ganlyniad arall.**

O dan y cynigion hyn, gallwn ni gasglu bod 'bron â bod yn sicr' yn fwriad, ond bod 'rhagweld' o fath llai na hynny yn fyrbwylltra.

3. Byddai'r ddedfryd orfodol o garchar am oes hefyd yn cael ei diddymu. Byddai hyn er mwyn ymdrin ag achosion pan fydd amddiffyniadau yn cael eu cymhwyso yn rhy drugarog, er mwyn rhoi dewis i'r barnwr wrth ddedfrydu'r diffynnydd. Nid yw'r llywodraeth yn awyddus i ddiddymu'r ddedfryd orfodol o garchar am oes, ac mae'r diwygiad hwn yn annhebygol o ddigwydd.

Dynladdiad gwirfoddol

Dynladdiad gwirfoddol yw sefyllfa lle mae'r diffynnydd wedi cyflawni llofruddiaeth, ond ei fod yn dibynnu ar **amddiffyniad arbennig** yn *Neddf Lladdiadau 1957* a *Deddf Crwneriaid a Chyfiawnder 2009*. Os gellir profi'r amddiffyniad arbennig, bydd y cyhuddiad o lofruddiaeth yn cael ei leihau i ddynladdiad, a bydd gan y barnwr ddewis wrth ddedfrydu'r diffynnydd. Mae **baich y prawf** ar yr **amddiffyniad** i brofi bod yr amddiffyniad yn berthnasol i'w hachos nhw.

Gall amddiffyniad o'r fath fod yn un o'r rhain:

- colli rheolaeth
- cyfrifoldeb lleihaedig
- cytundeb hunanladdiad.

> **TERMAU ALLWEDDOL**
>
> **amddiffyniad arbennig:** defnyddio amddiffyniad sydd ddim yn canfod y diffynnydd yn gyfan gwbl ddieuog, ond sy'n caniatáu lleihau dedfryd y diffynnydd.

Colli rheolaeth

Mae'n bwysig cymharu'r amddiffyniad newydd hwn, o *Ddeddf Crwneriaid a Chyfiawnder 2009*, â hen amddiffyniad cythruddiad o *Ddeddf Lladdiadau 1957*.

	Cythruddiad: *a3 Deddf Lladdiadau 1957*	Colli rheolaeth: *a54 ac a55 Deddf Crwneriaid a Chyfiawnder 2009*
Beirniadaeth	Credai pobl bod yr amddiffyniad hwn yn rhy lym ar bobl oedd yn dioddef trais domestig parhaus.	O dan yr amddiffyniad newydd, gellir cyfiawnhau lladd os oes ofn trais, a gellir ei ddefnyddio gan rai sy'n dioddef trais domestig parhaus.
	Mae wedi ei brofi bod menywod yn ymateb yn fwy araf i ymosodiad na dynion; felly roedd yr amddiffyniad hwn yn haws i ddynion ddibynnu arno, oherwydd yr angen am golli rheolaeth 'yn sydyn'.	Mae gadael y gair 'sydyn' allan o'r amddiffyniad yn ei gwneud yn haws i fenywod ddibynnu ar yr amddiffyniad os ydyn nhw wedi ymateb ychydig yn arafach nag y byddai dyn wedi gwneud.

	Cythruddiad: *a3 Deddf Lladdiadau 1957*	Colli rheolaeth: *a54 ac a55 Deddf Crwneriaid a Chyfiawnder 2009*
Elfennau'r amddiffyniad	**1. 'Colli rheolaeth yn sydyn a dros dro'** • Y math o golli rheolaeth sy'n cyfateb i golli tymer: *R v Cocker (1989)*. • Mae 'sydyn a dros dro' yn awgrymu na fydd cyfnod 'o ymdawelu' yn cael ei ystyried: *R v Duffy (1949)* ac *R v Ibrams (1982)*. • Roedd y llys yn drugarog wrth ganiatáu yr amser a aeth heibio rhwng y cythruddiad a'r lladd yn achos *R v Thornton (1992)*, ond nid aeth mor bell â chaniatáu gweithredoedd o ddial yn achos *R v Baillie (1995)*.	**1. 'Colli rheolaeth'** • Rhaid bod y diffynnydd wedi colli hunanreolaeth ar adeg yr *actus reus*. • Does dim rhaid i'r colli rheolaeth hwn fod yn sydyn, sy'n golygu na fydd menywod sy'n ymateb yn 'arafach' (*slow burn*) yn cael eu trin yn llai teg. • Mae'n bosibl colli hunanreolaeth dros amser mewn ffordd sy'n cronni: *R v Dawes, Hatter and Bowyer (2013)*.
	2. 'Drwy bethau a wnaed neu bethau a ddywedwyd' • Barnwyd bod sŵn baban sy'n crio'n ddi-baid yn cyfateb i gythruddiad yn achos *R v Doughty (1986)*. • Yn *R v Pearson (1992)*, roedd tad wedi cam-drin brawd y diffynnydd am flynyddoedd. Cafodd y tad ei ladd gan y diffynnydd, sy'n dangos nad oes rhaid cyfeirio'r cythruddiad at y diffynnydd ei hun. • Dangosodd *R v Brown (1972)* fod y diffynnydd wedi gwneud camgymeriad wrth gredu bod aelod o gang yn ymosod arno.	**1. 'Drwy sbardun perthnasol'** • *a55(i) Deddf Crwneriaid a Chyfiawnder 2009* – mae'r Ddeddf hon yn awgrymu y gall hyn fod oherwydd ofn trais difrifol gan y dioddefwr. • Mae hwn yn gysyniad newydd i amddiffyn menywod sy'n dioddef trais domestig parhaus gan bartneriaid treisgar, neu berchennog tŷ sy'n amddiffyn ei eiddo drwy ladd lleidr. • Mae'r prawf yn **oddrychol** – hynny yw, rhaid ystyried sut mae'r **diffynnydd** ei hun yn ofni'r trais difrifol, ac nid sut byddai 'unigolyn rhesymol' neu rywun arall yn ei sefyllfa yn ei ofni. Awgrymwyd, fodd bynnag, bod rhaid i'r dioddefwr fod yn destun y trais, a bod rhaid i'r diffynnydd ofni bod y trais wedi'i anelu ato ef/hi. • *a55(ii) Deddf Crwneriaid a Chyfiawnder 2009*: Pethau o natur ddifrifol iawn a gafodd eu dweud neu eu gwneud, gan achosi i'r diffynnydd deimlo gyda chyfiawnhad ei fod wedi cael cam difrifol. • Mae hon yn ymagwedd gyfyngedig, oherwydd er bod yr ymdeimlad o gael cam yn oddrychol, rhaid cyfiawnhau hyn. Mae hwnnw'n brawf gwrthrychol, ac yn un y gall rheithgor yn unig ei bennu. Sylwodd y Llys Apêl yn *R v Clinton, Parker and Evans (2012)* fod hyn yn gofyn am werthusiad gwrthrychol.
	3. A fyddai unigolyn rhesymol wedi cael ei gythruddo yn yr un modd? • Barnodd achos *DPP v Camplin (1978)* mai'r unig nodweddion perthnasol i'w cymharu â'r unigolyn rhesymol yw oedran a rhyw. • Yn achos *R v Smith (Morgan) (2000)*, barnodd Tŷ'r Arglwyddi y gall y rheithgor ystyried 'nodweddion annormal' y diffynnydd, fel iselder, os yw'r nodweddion hynny yn effeithio ar safon ei reolaeth. • Mae achos *A-G for Jersey v Holley (2005)* yn gwrthgyferbynnu â'r achos hwn ar ôl i'r llys wrthod ystyried alcoholiaeth yn 'nodwedd annormal'. Y canllaw oedd bod rhaid i'r unigolyn rhesymol ddangos y math o hunanreolaeth sy'n ddisgwyliedig gan rywun cyffredin o'r un rhyw a'r un oedran.	**3. A fyddai unigolyn rhesymol wedi gweithredu yn yr un modd?** Mae'r prawf gwrthrychol hwn yn gofyn a fyddai unigolyn o'r un rhyw a'r un oedran â'r diffynnydd, gyda lefel gyffredin o oddefgarwch a hunanreolaeth, ac mewn amgylchiadau tebyg, wedi gweithredu yn yr un ffordd â'r diffynnydd neu mewn ffordd debyg iddo (*a54(1)(c)*). Mae'n ymddangos bod yr amddiffyniad newydd hwn wedi dilyn cynsail *A-G for Jersey v Holley (2005)*. Os oes nodweddion annormal yn bresennol, credir ei bod yn fwy tebygol y bydd y diffynnydd yn dibynnu ar amddiffyniad cyfrifoldeb lleihaedig.
Baich y prawf	Gadawodd y barnwr i'r rheithgor ddehongli'r amddiffyniad.	Rhaid i'r erlyniad wrthbrofi amddiffyniad colli rheolaeth y tu hwnt i amheuaeth resymol.

Does dim llawer o gyfraith achos yn ymwneud ag amddiffyniad 'colli rheolaeth'. Cyrhaeddodd *R v Clinton, Parker and Evans* y Llys Apêl yn 2012, lle dywedodd y llys fod 'hanes cyfraith gwlad yn amherthnasol'; felly, dim ond arwyddocâd cyfyngedig sydd i gyfraith achos cythruddiad erbyn hyn.

Dyma rai achosion arwyddocaol eraill:

- *R v Jewell (2014)*
- *R v Workman (2014)* ac *R v Barnsdale-Quean (2014)*
- *R v Dawes, Hatter and Bowyer (2013)*.

Mae oblygiadau wrth ddefnyddio'r amddiffyniad hwn o ran gwahaniaethu yn erbyn menywod. Daeth **syndrom menywod a gurir**, fel y'i gelwir, i'r amlwg yn achosion *Thornton* ac *Ahluwalia*. Roedd y rhain yn ddau achos o fenywod yn lladd eu gwŷr ar ôl dioddef blynyddoedd o gamdriniaeth. Roedd yn ymddangos bod 'cyfnod o ymdawelu' yn y naill achos a'r llall, gan olygu bod yr elfen o golli rheolaeth yn 'sydyn' heb ei bodloni. Yn yr achosion hyn, codwyd y ddadl mai ymateb gwrywaidd yw colli rheolaeth yn sydyn, ac nad yw'n ystyried y ffaith bod menywod yn ymateb i gythruddiad mewn ffyrdd gwahanol. Disgrifiodd Helena Kennedy, Cwnsler y Frenhines, yr ymateb benywaidd fel 'torri yn ara' deg, yn debyg i elastig brau sy'n ildio o'r diwedd'. Mae'n ymddangos y daeth y llysoedd yn fwy trugarog yn sgil y feirniadaeth hon. Caniatawyd apêl, a derbyniwyd amddiffyniad cyfrifoldeb lleihaedig yn lle hynny yn achos *Ahluwalia*. Roedd ymagwedd y barnwr yn apêl *Thornton* yn fwy calonogol, lle derbyniwyd cysyniad 'syndrom menywod a gurir', fel bod modd ei ystyried wrth benderfynu a gollwyd rheolaeth dros dro ac yn sydyn. O dan yr amddiffyniad newydd, mae hyn yn dal yn berthnasol. Er nad oes rhaid i'r colli rheolaeth fod yn sydyn, mae oedi mewn amser yn berthnasol wrth benderfynu a gollwyd rheolaeth.

Cyfrifoldeb lleihaedig

	Cyfrifoldeb lleihaedig: *a2 Deddf Lladdiadau 1957*	Cyfrifoldeb lleihaedig: *a52 Deddf Crwneriaid a Chyfiawnder 2009*
Beirniadaeth	Roedd yr **hen** amddiffyniad yn defnyddio'r ymadrodd 'annormaledd meddwl'.	Mae'r diffiniad newydd yn cynnwys yr ymadrodd 'annormaledd gweithredu meddyliol' (*abnormality of mental functioning*). Pwrpas hyn oedd egluro'r gyfraith, ond ni chafwyd newidiadau i'r ffordd mae'r amddiffyniad yn cael ei gymhwyso. Mae diffiniad **newydd** yr amddiffyniad yn golygu mai un o'i elfennau hanfodol yw cyflwr meddygol sy'n cael ei gydnabod. Mae disgwyl i'r hen gyfraith achos fod o gymorth o hyd wrth benderfynu beth all gael ei ystyried yn 'annormaledd gweithredu meddyliol'.
Elfennau'r amddiffyniad	**1a. Roedd y diffynnydd yn dioddef o annormaledd meddwl.** Gallai hyn fod yn iselder, yn achos o 'ladd ar sail trugaredd', yn 'syndrom cyn mislif' neu, yn *R v Hobson (1997)*, 'syndrom menywod a gurir'. **1b. Roedd yr annormaledd:** **yn deillio o gyflwr yn ymwneud â datblygiad araf yr unigolyn; neu** **o unrhyw achosion cynhenid; neu** **wedi ei beri gan salwch neu anaf.**	**1. Mae'r diffynnydd yn dioddef o annormaledd gweithredu meddyliol sy'n deillio o gyflwr meddygol cydnabyddedig.** Mae hwn yn ddiffiniad cyfyng, ond mae'n ymagwedd fwy modern o lawer sy'n dangos dealltwriaeth o faterion iechyd meddwl. Cred rhai pobl na fydd rhai o'r 'annormaleddau meddwl' o dan y gyfraith flaenorol yn llwyddo o dan yr amddiffyniad newydd. Byddai hynny oherwydd nad ydyn nhw'n gyflyrau meddygol sy'n cael eu cydnabod. Mae'n debyg byddai *R v Martin (Anthony) (2001)* wedi llwyddo o dan yr amddiffyniad hwn, gan fod y diffynnydd yn dioddef o anhwylder personoliaeth paranoid pan laddodd rywun oedd wedi torri i mewn i'w gartref.
	2. Roedd yr annormaledd yn achos sylweddol gweithred y diffynnydd o ladd. Yma, mae'n rhaid i annormaledd y diffynnydd fod yn achos sylweddol y lladd, ond nid oes rhaid iddo fod yr unig achos. Mae achos *R v Dietschmann (2003)* yn dangos hyn, gan y barnwyd bod ei iselder yn achos sylweddol.	**2. Rhaid i'r annormaledd gweithredu meddyliol fod yn ffactor arwyddocaol a gyfrannodd at y lladd.** Mae hyn yn golygu bod rhaid i'r annormaledd achosi'r lladd, neu o leiaf fod yn ffactor arwyddocaol sy'n cyfrannu ato. Pe bai achos *R v Dietschmann (2003)* yn cael ei benderfynu o dan yr amddiffyniad newydd, nid yw'n glir a fyddai'r achos wedi mynd heibio'r rhwystr cyntaf, sef cydnabod iselder fel cyflwr meddygol. Ond mae'n ymddangos nad oes gwahaniaeth a yw diod neu gyffuriau yn rhan o'r mater; dyma'r cwestiwn allweddol: a yw'r cyflwr meddygol yn cyfrannu'n arwyddocaol at y lladd?
	3. Roedd yr annormaledd yn amharu'n sylweddol ar gyfrifoldeb meddyliol y diffynnydd am ei weithredoedd.	**3. Rhaid bod yr annormaledd gweithredu meddyliol wedi amharu'n sylweddol ar allu'r diffynnydd i wneud y canlynol: deall natur ei ymddygiad; neu lunio barn resymegol; neu arfer hunanreolaeth.** Mae hon yn elfen llawer mwy penodol o'r drosedd, ac mae'n gwneud yn glir pa agweddau ar y gweithredu meddyliol mae'n rhaid effeithio arnyn nhw. Cafodd y gair 'sylweddol' ei ystyried yn achos *R v Golds (2014)*.
Baich y prawf	Rhaid i'r amddiffyniad brofi nad oedd y diffynnydd yn llawn gyfrifol adeg y drosedd yn ôl pwysau tebygolrwydd. Rhaid cael tystiolaeth arbenigol gan ddau dyst o leiaf.	

R v Dietschmann (2003)

Roedd y diffynnydd yn dioddef o iselder, ond roedd hefyd yn feddw pan laddodd ei ddioddefwr. Er mai'r iselder oedd yr annormaledd, derbyniodd y llys nad oedd y diffynnydd yn llawn gyfrifol yn yr achos hwn. Roedd hynny oherwydd bod yr iselder yn achos sylweddol, er na fyddai'r diffynnydd wedi lladd, o bosibl, pe bai'n sobr.

Dynladdiad anwirfoddol

Ystyr dynladdiad anwirfoddol yw pan fydd diffynnydd wedi cyflawni *actus reus* llofruddiaeth, ond nid y *mens rea*. Mae dau fath o ddynladdiad anwirfoddol:

1. dynladdiad drwy weithred anghyfreithlon a pheryglus (dynladdiad drwy ddehongliad)
2. dynladdiad drwy esgeuluster difrifol.

Dynladdiad drwy weithred anghyfreithlon a pheryglus (dynladdiad drwy ddehongliad)

Mae holl elfennau cyffredin llofruddiaeth yn bresennol.

Actus reus

Rhaid iddi fod yn weithred **anghyfreithlon**, ac nid anwaith yn unig.

R v Lowe (1973)
Roedd yr achos hwn yn ymwneud â chyflawni trosedd drwy esgeuluso plentyn. Yr esgeuluso a achosodd farwolaeth y plentyn.

Rhaid i'r weithred fod yn un **droseddol**, ac nid yn un sifil. Barnwyd hyn yn achos *R v Franklin (1883)*.

R v D (2006)
*Roedd y dioddefwr wedi cyflawni hunanladdiad, ar ôl blynyddoedd o gam-drin domestig gan ei gŵr. Cyn yr hunanladdiad, roedd ei gŵr wedi achosi clwyf ar ei thalcen wrth ei tharo hi â'i freichled. Barnwyd bod hyn yn ddigon o weithred droseddol anghyfreithlon, gan ei bod yn drosedd o dan **a20 Deddf Troseddau Corfforol 1861**.*

Rhaid bod y weithred yn un **beryglus** hefyd. Dyma'r prawf: a fyddai unigolyn rhesymol yn rhagweld y byddai'r weithred yn achosi niwed?

R v Church (1966)
Barnodd y llys fod rhaid i'r prawf ofyn a fyddai 'rhywun sobr a rhesymol yn sylweddoli' bod ei weithred yn creu risg.

Does dim ots beth yw ffurf y niwed hwnnw, cyn belled â bod rhyw niwed yn rhagweladwy, fel yn *R v JM and SM (2012)*. Rhaid bod gan y diffynnydd yr un wybodaeth â'r 'person sobr a rhesymol'.

R v Dawson (1985)
Dyn 60 oed gyda chyflwr difrifol ar ei galon oedd y dioddefwr. Doedd dim posibl i'r diffynyddion wybod hyn, a doedd dim posibl i rywun sobr a rhesymol wybod hynny chwaith; felly, doedd y weithred ddim yn gallu bod yn un beryglus.

R v Watson (1989)
Roedd y dioddefwr yn ddyn 87 oed. Barnodd y llys y dylid disgwyl, o fewn rheswm, i'r diffynyddion wybod y byddai'r dyn yn fregus ac yn hawdd ei ddychryn; felly roedd y weithred yn un beryglus.

Achosiaeth

Rhaid sefydlu mai'r weithred anghyfreithlon a pheryglus oedd achos y farwolaeth.

R v Johnstone (2007)
Cafodd y dioddefwr ei wawdio sawl gwaith, gan gynnwys pobl yn poeri a gweiddi ato (nid ystyriwyd hyn yn weithred beryglus) a thaflwyd cerrig a phren ato (ystyriwyd hyn yn weithred beryglus). Cafodd y dioddefwr drawiad ar ei galon oherwydd y straen. Nid oedd modd cael y diffynyddion yn euog o ddynladdiad drwy ddehongliad, gan nad oedd yn glir ai'r weithred beryglus ei hun a achosodd y trawiad ar y galon, gan achosi marwolaeth y dioddefwr drwy hynny.

Os bydd y dioddefwr yn ymyrryd yn y gadwyn achosiaeth drwy weithred wirfoddol, yna bydd hyn yn ddigon i dorri'r gadwyn achosiaeth.

YMESTYN A HERIO

Ystyriwch achos *R v Lamb (1967)*, lle pwyntiodd y diffynnydd wn at ei ffrind fel jôc. Doedd gan y diffynnydd ddim bwriad o frifo'r dioddefwr, ond llithrodd un o'r bwledi allan a lladd ei ffrind. Allwch chi nodi a) y weithred anghyfreithlon a b) *mens rea* y weithred honno? Ar sail hyn, a yw'r diffynnydd yn euog o ddynladdiad drwy ddehongliad?

YMESTYN A HERIO

Ymchwiliwch i rai enghreifftiau o feirniadaeth o'r gyfraith ar ddynladdiad drwy ddehongliad. Bydd angen y rhain i ateb cwestiwn traethawd lle gofynnir i chi ddadansoddi a gwerthuso'r gyfraith.

ACHOS ALLWEDDOL

R v Adomako (1994)
Meddyg oedd y diffynnydd, a oedd wedi gosod tiwb peiriant anadlu yng ngheg claf. Ond bu farw'r claf o ddiffyg ocsigen pan ddaeth y tiwb yn rhydd o'r peiriant. Nid oedd Adomako wedi sylweddoli'n ddigon buan bod ei glaf yn marw, ac apeliodd i Dŷ'r Arglwyddi yn erbyn ei euogfarn o ddynladdiad drwy esgeuluster difrifol. Barnodd yr Arglwydd Mackay yn Nhŷ'r Arglwyddi fod rhaid bodloni sawl elfen er mwyn cadarnhau'r euogfarn:
- dyletswydd gofal
- torri'r ddyletswydd honno drwy esgeuluster difrifol
- risg o farwolaeth.

R v Kennedy (No 2) (2007)
Cadarnhaodd y llys na all gwerthwr cyffuriau fyth gael ei ddal yn gyfrifol am farwolaeth defnyddiwr cyffuriau.

Ond cyferbynnwch yr achos hwn ag *R v Cato (1976)* sy'n dangos eithriad i reol yr achos uchod.

R v Cato (1976)
Roedd y gwerthwr cyffuriau wedi chwistrellu heroin i gorff y dioddefwr. Felly, yn yr achos hwn, byddai'r diffynnydd yn gyfrifol am ddynladdiad y dioddefwr.

Mens rea

Hwn yw *mens rea* y weithred anghyfreithlon. Er enghraifft, os oedd y weithred anghyfreithlon yn dod o *a18 Deddf Troseddau Corfforol 1861*, yna bwriad fyddai'r *mens rea*.

Dynladdiad drwy esgeuluster difrifol

Mae esgeuluster fel arfer wedi'i gynnwys o dan gyfraith sifil. Ond mae rhai mathau o ymddygiad esgeulus (sy'n arwain at farwolaeth) mor ddifrifol nes bod rhaid eu cosbi o dan gyfraith trosedd.

Gosodwyd y prawf yn achos *R v Adomako (1994)*.

Fel yn achos dynladdiad drwy ddehongliad, mae holl elfennau cyffredin llofruddiaeth yn bresennol.

Dyletswydd gofal

Sefydlir dyletswydd gofal o dan 'egwyddor y cymydog' yn *Donoghue v Stevenson (1932)*. Mater i'r rheithgor yw penderfynu a oes dyletswydd gofal yn ddyledus gan ddefnyddio 'egwyddor y cymydog'.

Cododd rhai eithriadau allweddol yn *R v Willoughby (2004)*, lle barnwyd y bydd dyletswydd gofal yn ddieithriad bron rhwng meddyg a chlaf.

Torri'r ddyletswydd honno drwy esgeuluster difrifol

Mater i'r rheithgor yw penderfynu a yw torri'r ddyletswydd yn gyfystyr ag esgeuluster difrifol. Er hynny, yn achos *R v Bateman (1925)*, awgrymodd yr Arglwydd Hewart, yr Arglwydd Brif Ustus, ei fod yn 'dangos y fath ddifaterwch tuag at fywyd a diogelwch eraill nes bod yn gyfystyr â throsedd yn erbyn y wladwriaeth, ac yn ymddygiad sy'n haeddu cosb'.

Risg o farwolaeth

Yn ogystal â chael ei mynegi yn *R v Adomako (1994)*, cadarnhawyd yr agwedd hon ymhellach yn *R v Misra and Srivastava (2005)*, pan fethodd meddygon â gwneud diagnosis o heintiad yn dilyn triniaeth, gan arwain at farwolaeth y claf. Barnwyd bod y diffyg diagnosis a'r diffyg triniaeth yn sgil hynny yn gyfystyr â risg o farwolaeth.

Crynodeb: Troseddau corfforol angheuol

Llofruddiaeth

▶ 'Lladd, mewn ffordd anghyfreithlon, unigolyn rhesymol sy'n bodoli o dan Heddwch y Brenin (neu'r Frenhines), gyda malais bwriadus sy'n ddatganedig neu ymhlyg.' Arglwydd Ustus Coke

▶ Elfennau *actus reus*:
- Bod dynol: yn annibynnol ar ei fam: *AG's Reference No 3 of 1994*
- Marwolaeth: *R v Malcherek and Steel (1981)*
- Achosiaeth ffeithiol: prawf 'pe na bai' *R v White (1910)*; rheol *de minimis*: *Pagett (1983)*

- Achosiaeth gyfreithiol:
    - rhaid i'r anaf fod yn achos gweithredol a sylweddol y farwolaeth: **R v Smith (1959)**, **R v Jordan (1956)**
    - prawf 'y benglog denau': **R v Blaue (1975)**
    - gweithred ymyrrol ragweladwy: **R v Roberts (1971)**
- ▶ Elfennau'r *mens rea*: malais bwriadus: Bwriad o ladd NEU fwriad o achosi niwed corfforol difrifol (*GBH*): **DPP v Smith (1961)**
    - Bwriad uniongyrchol
    - Bwriad anuniongyrchol: **R v Woollin (1998)**: prawf 'bron yn sicr'

Dynladdiad gwirfoddol

- ▶ Elfennau llofruddiaeth ac amddiffyniad arbennig: **Deddf Lladdiadau 1957** a **Deddf Crwneriaid a Chyfiawnder 2009**
- ▶ Amddiffyniad rhannol:
    - Colli rheolaeth
    - Cyfrifoldeb lleihaedig
    - Cytundeb hunanladdiad
- ▶ Colli rheolaeth: **a54 Deddf Crwneriaid a Chyfiawnder 2009**:
    - Colli rheolaeth
    - Sbardun cymwys
    - Unigolyn rhesymol
    - Baich ar yr erlyniad i wrthbrofi
- ▶ Cyfrifoldeb lleihaedig: **a52 Deddf Crwneriaid a Chyfiawnder 2009**:
    - Annormaledd gweithredu meddyliol
    - Yn deillio o gyflwr meddygol cydnabyddedig
    - Rhaid i'r annormaledd gweithredu meddyliol fod yn ffactor a gyfrannodd yn sylweddol at y lladd
    - Rhaid i'r annormaledd gweithredu meddyliol fod wedi amharu'n sylweddol ar allu'r diffynnydd i wneud y canlynol:
        - deall natur ei ymddygiad; neu
        - llunio barn resymegol; neu
        - arfer hunanreolaeth
    - Baich ar yr amddiffyniad i brofi yn ôl pwysau tebygolrwydd, gan ddefnyddio tystiolaeth arbenigol

Dynladdiad anwirfoddol

- ▶ *Actus reus* llofruddiaeth, a naill ai gweithred anghyfreithlon a pheryglus NEU esgeuluster difrifol
- ▶ Dynladdiad drwy weithred anghyfreithlon a pheryglus
    - Elfennau *actus reus* llofruddiaeth
    - Gweithred anghyfreithlon: gweithred, nid anwaith; gweithred droseddol, nid gweithred sifil
    - Gweithred beryglus: person rhesymol
    - Achosiaeth
    - Y *mens rea* yw *mens rea* y weithred anghyfreithlon

Dynladdiad drwy esgeuluster difrifol

- ▶ *Adomako (1994)*
    - Elfennau *actus reus* llofruddiaeth
    - Dyletswydd gofal
    - Torri'r ddyletswydd gofal honno drwy esgeuluster difrifol
    - Risg marwolaeth

Troseddau eiddo

Adran y fanyleb	Cynnwys Allweddol	Amcanion Asesu	Ble mae'r pwnc hwn yn ymddangos yn y fanyleb/arholiad?
CBAC Safon Uwch **3.15:** Troseddau eiddo	• Dwyn a lladrad: *Actus reus* (perchnogi, eiddo, sy'n perthyn i rywun arall), *mens rea* (anonestrwydd, bwriad o amddifadu'n barhaol), (a1 Deddf Dwyn 1968) • Lladrad: Dwyn gan ddefnyddio neu fygwth defnyddio grym (a8 Deddf Dwyn 1968) • Bwrgleriaeth: Elfennau o a9(1)(a) ac a9(1)(b) Deddf Dwyn 1968, bwrgleriaeth mewn anheddau ac adeiladau eraill	**AA1** Dangos gwybodaeth a dealltwriaeth o reolau ac egwyddorion cyfreithiol **AA2** Cymhwyso rheolau ac egwyddorion cyfreithiol at senarios penodol er mwyn cyflwyno dadl gyfreithiol gan ddefnyddio terminoleg gyfreithiol briodol **AA3** Dadansoddi a gwerthuso rheolau, egwyddorion, cysyniadau a materion cyfreithiol	**CBAC Safon Uwch:** Uned 3; Adran C. Uned 4; Adran C

Ar Lefel U2, mae testun **troseddau eiddo** yn trafod tair trosedd wahanol:

• Dwyn.

• Lladrad.

• Bwrgleriaeth.

Cyn *Deddf Dwyn 1968*, roedd y maes hwn yn y gyfraith wedi'i gynnwys o fewn **cyfraith gwlad/cyfraith gyffredin**, ac roedd yn gymhleth. I bob pwrpas, roedd *Deddf Dwyn 1968* yn codeiddio cyfraith rhai troseddau eiddo. Ond mae'r gyfraith wedi parhau i esblygu wrth i farnwyr ddehongli gwahanol rannau o'r Ddeddf wrth benderfynu rhai achosion. Ers Deddf wreiddiol 1968, mae dau ddiweddariad statudol arall wedi bod: *Deddf Dwyn 1978* a *Deddf Dwyn (Diwygio) 1996*, sy'n diwygio Deddfau 1968 ac 1978.

TERMAU ALLWEDDOL

cyfraith gwlad/cyfraith gyffredin (hefyd cyfraith achosion neu gynsail): cyfraith a ddatblygwyd gan farnwyr drwy benderfyniadau yn y llys.

Dwyn

Diffinnir hyn yn *a1 Deddf Dwyn 1968*:

'Mae rhywun yn euog o ddwyn os yw'n perchnogi eiddo rhywun arall yn anonest, gyda'r bwriad o amddifadu'r llall ohono yn barhaol.'

Dyma elfennau *actus reus* dwyn:

1. perchnogi *(a3)*
2. eiddo *(a4)*
3. yn perthyn i rywun arall *(a5)*.

Dyma **elfennau** *mens rea* **dwyn**:

1. y bwriad o amddifadu'n barhaol *(a6)*
2. anonestrwydd (*a2* a phrawf *Ghosh*; gweler t. 40).

Y ddedfryd uchaf am ddwyn yw saith mlynedd o garchar.

Byddwn yn ystyried pob un o'r elfennau yn eu tro.

Actus reus dwyn

1. Perchnogi

Mae'r elfen hon wedi'i diffinio yn *a3(1) Deddf Dwyn 1968*:

'Mae unrhyw ragdybiaeth gan unigolyn o hawliau perchennog yn gyfystyr â pherchnogi, ac mae hyn yn cynnwys pan fydd wedi cael gafael ar yr eiddo (yn ddiniwed neu beidio) heb ei ddwyn, unrhyw ragdybiaeth ddiweddarach o hawl iddo drwy ei gadw neu ei drin fel ei berchennog.'

Ystyr hyn yw bod y diffynnydd wedi mynd ati'n gorfforol i gymryd gwrthrych oddi wrth ei berchennog (e.e. bag llaw neu gyfrifiadur tabled). Mae'r diffynnydd yn **rhagdybio rhai neu'r cyfan o'i hawliau**. Mae'r agwedd hon wedi cael ei dehongli yn eang ac mae'n cynnwys rhagdybio unrhyw un o hawliau'r perchennog (e.e. symud, cyffwrdd, dinistrio, gwerthu, ac ati). Mae'r diffynnydd yn gwneud rhywbeth â'r eiddo sy'n hawl i'r perchennog a neb arall ei wneud heb ganiatâd y perchennog (**'bwndel o hawliau'**). Mae un hawl yn ddigonol, fel sydd i'w weld yn *R v Morris (1923)*, pan newidiodd y diffynnydd label y pris ar eitem mewn siop, gyda'r bwriad o dalu'r pris llai. Er na lwyddodd i gyrraedd y til, roedd y ffaith iddo newid y pris a rhoi'r nwyddau yn ei droli yn cael ei ystyried yn weithred o 'berchnogi', gan fod gan berchenogion yr hawl i brisio eu nwyddau eu hunain.

Mae *Adran 3(1)* hefyd yn ymdrin â sefyllfaoedd lle nad yw rhywun yn dwyn eiddo (e.e. mae rhywun yn cael benthyg breichled gan ei ffrind) ond yna mae'n rhagdybio hawliau'r perchennog drwy wrthod ei ddychwelyd. Mae'r 'perchnogi' yn digwydd unwaith y bydd yr unigolyn yn penderfynu ei gadw.

Gall perchnogi ddigwydd hyd yn oed os yw'r dioddefwr yn cydsynio i'r eiddo gael ei gymryd, fel yn *Lawrence v MPC (1972)*.

Dywedodd Is-Iarll Dilhorne: 'Drwy hepgor y geiriau hyn (sef 'cydsyniad'), mae'r Senedd wedi cynorthwyo'r erlyniad gan sefydlu bod y weithred o gymryd wedi digwydd heb gydsyniad y perchennog.'

Dywedodd Keith LJ: 'Gall gweithred gael ei hystyried yn "berchnogi" er ei bod yn digwydd gyda chydsyniad y perchennog.' Cafodd yr egwyddor hon ei dilyn yn *R v Gomez (2000)*.

Yn *R v Hinks (2000)*, cadarnhawyd cyhuddiad y diffynnydd o ddwyn, er mai rhodd a gafodd, gan fod y diffynnydd wedi 'perchnogi' yr arian. Mantais yr egwyddor hon yw ei bod yn amddiffyn pobl sy'n agored i niwed.

TERMAU ALLWEDDOL

actus reus: gweithred, anwaith neu sefyllfa sy'n ymddygiad gwaharddedig gwirfoddol.
mens rea: yr elfen feddyliol, y 'meddwl euog', neu'r elfen o'r drosedd lle mae'r bai.

TERMAU ALLWEDDOL

bwndel o hawliau: mae bwndel o hawliau gan berchennog eiddo dros ei eiddo ei hun, felly mae ganddo'r hawl i wneud unrhyw beth mae'n ei ddymuno ag ef (e.e. ei ddinistrio, ei daflu i ffwrdd neu wneud rhywbeth ar hap â'r eiddo).

YMESTYN A HERIO

Ymchwiliwch i'r achosion allweddol canlynol a'u crynhoi: *Lawrence v MPC (1971)* ac *R v Gomez (1993)*. Pa egwyddorion cyfreithiol gafodd eu sefydlu?

YMESTYN A HERIO

Sut mae *R v Hinks (2000)* yn dangos bod dehongliad 'perchnogi' yn amddiffyn pobl sy'n agored i niwed?

Eiddo

Mae'r elfen hon wedi'i diffinio yn **a4 Deddf Dwyn 1968**:

'Mae eiddo yn cynnwys arian a phob eiddo arall, yn eiddo tirol neu bersonol, gan gynnwys "pethau mewn achos" a mathau eraill o eiddo anghyffwrdd (*intangible*).'

Gall diffinio eiddo ymddangos yn hawdd ar yr olwg gyntaf, ond mae'n rhaid ystyried rhai materion yn fwy manwl.

Mae **pethau sy'n gallu cael eu dwyn** (ac felly sy'n cael eu cyfrif yn eiddo) yn cynnwys:

- arian (ei fodolaeth materol yn hytrach na'i werth)
- eiddo personol
- eiddo tirol
- eiddo anghyffwrdd (*intangible*)
- pethau mewn achos.

Mae **eiddo tirol** yn cynnwys tir ac adeiladau, er bod **a4(2)** yn datgan nad yw fel arfer yn bosibl dwyn tir a phethau sy'n ffurfio rhan o'r tir ac sy'n cael eu torri oddi wrtho (e.e. blodau, cnydau a gasglwyd), ac eithrio yn yr amgylchiadau sydd wedi'u nodi yn yr adran honno.

Ystyr **eiddo anghyffwrdd** yw eiddo haniaethol sydd ddim yn bodoli mewn ystyr diriaethol neu gorfforol, fel patent neu hawlfraint.

Mae **'peth mewn achos'** (neu **'chose mewn achos'**, o'r Ffrangeg) yn derm technegol. Mae'n disgrifio eiddo sydd ddim yn bodoli ar ffurf ddiriaethol neu faterol, ond sy'n rhoi hawliau cyfreithiol gorfodadwy i'r perchennog. Mae enghreifftiau yn cynnwys cyfrif banc mewn credyd lle mae'r banc yn gwrthod rhoi arian y cwsmer iddo, neu fuddsoddiadau, cyfranddaliadau ac eiddo deallusol fel hawliau patent. Mae gan bobl hawliau cyfreithiol dros y pethau hyn, er nad ydyn nhw'n gallu gafael ynddyn nhw â'u dwylo.

Fodd bynnag, mae'r llysoedd wedi penderfynu nad yw rhai pethau yn 'eiddo' yn ôl y diffiniad hwn. Yn *Oxford v Moss (1979)*, cadarnhaodd y llys nad oedd edrych ar gwestiynau papur arholiad heb ei agor yn gyfystyr â dwyn, gan nad oedd y cwestiynau yn 'eiddo' ond yn hytrach yn 'wybodaeth'.

Mae trydan yn cael ei drin ar wahân o dan y Ddeddf. Mae'n cael ei ystyried yn eiddo anghyffwrdd sydd ddim yn gallu cael ei ddwyn. Ond os bydd rhywun *(a11)* 'yn defnyddio trydan yn anonest a heb awdurdod, neu yn peri i drydan gael ei wastraffu neu ei ddargyfeirio mewn ffordd anonest', gall fod gyfrifol am gyflawni trosedd.

Mae'r **pethau sydd ddim yn gallu cael eu dwyn** wedi eu nodi yn **a4(3)** ac **a4(4)** y Ddeddf, gan ymdrin â sefyllfaoedd lle mae rhywun yn casglu madarch, blodau, ffrwythau neu ddail sy'n tyfu'n wyllt ar dir. Nid yw hyn i gael ei drin fel achos o ddwyn oni bai iddo gael ei wneud i werthu neu ennill gwobr neu unrhyw bwrpas masnachol arall (*a4(3)*). Mae *Adran 4(4)* yn ymwneud ag anifeiliaid gwyllt wedi eu dofi neu heb eu dofi.

Fel arfer, nid yw'n bosibl dwyn corff dynol. Fodd bynnag, yn *R v Kelly and Lindsay (1998)* penderfynodd y llys, er nad yw corff marw yn eiddo fel arfer, y gallai rhannau'r corff yn yr achos hwn fod yn eiddo gan fod 'eu cymeriad sylfaenol a'u gwerth wedi newid'.

Yn perthyn i rywun arall:

'Ystyrir bod eiddo yn perthyn i unrhyw un sydd â'r eiddo yn eu meddiant neu dan eu rheolaeth, neu sydd ag unrhyw hawl neu fudd perchnogol drosto.'

Mae'n cynnwys sefyllfaoedd pan fydd unigolyn yn berchen ar yr eiddo, ond hefyd pan fydd ganddo **berchenogaeth neu reolaeth** drosto neu **hawl neu fudd perchnogol** drosto. Mae'n cynnwys eiddo sy'n perthyn i rywun arall o dan gyfraith sifil, ac mae hefyd yn cwmpasu meddiant yn unig heb hawliau perchenogaeth. Er enghraifft, nid yw siwt briodas wedi'i llogi yn berchen i'r unigolyn sy'n ei llogi, ond mae gan yr unigolyn hwnnw reolaeth o'r siwt ar yr adeg pan fydd yn ei feddiant. Os bydd rhywun yn cymryd y siwt

---

honno gan y llogai (y person a wnaeth ei llogi), gellir dweud ei fod wedi perchnogi'r eiddo sy'n perthyn i'r llogai, er nad y llogai sy'n berchen ar y siwt mewn gwirionedd.

Felly, gall rhywun fod yn **atebol am ddwyn ei eiddo ei hun** (*R v Turner No 2 (1971)*). Yn yr achos hwn, roedd Turner wedi mynd â'i gar i'r garej i'w drwsio. Ar ôl i'r gwaith gael ei gwblhau, gyrrodd y car o'r garej, heb dalu. Roedd y car 'ym meddiant' y garej ar yr adeg pan gymerodd ef y car, ac felly roedd yn atebol am ddwyn ei gar ei hun.

Hyd yn oed os yw rhywun yn cael gafael ar eiddo yn gyfreithlon, mae **rhwymedigaeth o hyd i'w ddefnyddio mewn ffordd arbennig**. Yn ôl *Adran 5(3)*:

'Pan fydd rhywun yn derbyn eiddo gan rywun arall, neu ar ei ran, a'i fod dan ymrwymiad i'r llall i gadw'r eiddo ac ymdrin ag ef neu ei elw mewn ffordd benodol, ystyrir bod yr eiddo yn perthyn i'r llall (yn hytrach nag iddo ef).'

Pe baech chi'n rhoi blaendal i'ch athro i fynd ar daith gyda'r dosbarth, ond bod yr athro'n gwario'r arian ar set o werslyfrau i'r dosbarth, ni fyddai'r athro wedi 'defnyddio'r arian yn y ffordd gywir', ac felly byddai hyn yn achos o ddwyn. Mae'r adran hon hefyd yn cynnwys pethau fel casgliadau elusennol. Yn *R v Hall (1972)*, dywedodd y Llys Apêl fod pob achos yn dibynnu ar ei ffeithiau. Yn yr achos hwn, doedd dim rhwymedigaeth i ddefnyddio'r blaendal mewn ffordd benodol, gan i'r arian gael ei dalu i mewn i gyfrif cyffredinol.

Beth am sefyllfaoedd lle mae eiddo yn cael ei drosglwyddo i'r diffynnydd **drwy gamgymeriad** – gordaliad cyflog, er enghraifft? Yn ôl *Adran 5(4)*, dylai'r eiddo sy'n cael ei drosglwyddo i'r diffynnydd drwy gamgymeriad gael ei drin fel petai'n 'perthyn' i'r perchennog gwreiddiol. Felly, unwaith bydd y diffynnydd yn dod yn ymwybodol o'r camgymeriad ac yn gwrthod dychwelyd yr eiddo, bydd hyn yn achos o ddwyn. Cafodd y methiant i ddychwelyd yr eiddo, ar ôl sylweddoli bod y camgymeriad yn fwriadol, ei ddiffinio yn *Attorney General's Reference (No 1 of 1983) (1985)*.

Mens rea dwyn

Mae dwy elfen i *mens rea* dwyn: **y bwriad o amddifadu'n barhaol** ac **anonestrwydd**.

Y bwriad o amddifadu'n barhaol

Rhaid bod y diffynnydd yn bwriadu amddifadu'r llall yn barhaol o'r eiddo, dim ots os yw'r llall yn cael ei amddifadu o'r eiddo mewn gwirionedd. Mae hyn wedi'i nodi yn *a6 Deddf Dwyn 1968*.

'Ystyrir bod gan rywun … fwriad o amddifadu'n barhaol … os yw'n bwriadu trin yr eitem fel ei eiddo ei hun i'w defnyddio heb ystyried hawliau'r llall … Gall cael benthyg neu roi benthyg … fod yn gyfystyr â'i drin felly os, a dim ond os, yw'r weithred o gael benthyg neu roi benthyg am gyfnod ac mewn amgylchiadau sy'n cyfateb i ddwyn neu waredu yn gyfan gwbl.'

Nid yw cael benthyg heb ganiatâd (e.e. cymryd car i wefr-yrru neu *joyriding*) heb fwriad o amddifadu'n barhaol yn cyfrif fel achos o ddwyn. Mae troseddau eraill ar gyfer ymdrin â sefyllfaoedd fel hyn – er enghraifft, trosedd 'cymryd rhywbeth heb gydsyniad'.

Mae *Adran 6 (1)* yn ymdrin â sefyllfaoedd lle mae'r eiddo'n cael ei 'fenthyca' dros dro. Nid yw hyn fel arfer yn achos o ddwyn, gan nad oes bwriad o amddifadu'n barhaol. Ond, yn *R v Lloyd (1985)*, barnodd y llys y gallai benthyca gael ei gyfrif o dan *a6* os oedd yr eiddo wedi'i fenthyg 'nes bod y daioni, y rhinwedd, a'r gwerth ymarferol… wedi ymadael yn llwyr â'r eitem dan sylw'. Yn yr achos hwn, roedd y diffynnydd, oedd yn gweithio mewn sinema, wedi cymryd ffilmiau er mwyn creu copïau anghyfreithlon. Dychwelodd y ffilmiau rai oriau yn ddiweddarach, ar ôl cwblhau'r broses gopïo. Yn yr achos hwn, nid oedd 'amddifadu dros dro' wrth gymryd y ffilmiau yn ddigonol i'w gael yn euog o ddwyn.

GWELLA GRADD

Ymchwiliwch i *R v Marshall (1998)* ar y mater hwn.

TERMAU ALLWEDDOL

goddrychol: rhagdybiaeth sy'n ymwneud â'r unigolyn dan sylw (y goddrych).

gwrthrychol: prawf sy'n ystyried beth byddai rhywun cyffredin, rhesymol arall, ac nid y diffynnydd ei hun, wedi ei wneud neu ei feddwl o'i osod yn yr un sefyllfa â'r diffynnydd.

Ond yn *R v Velumyl (1989)*, cafodd y diffynnydd ei ddyfarnu'n euog ar ôl iddo gymryd arian o sêff ei gyflogwr, heb awdurdod cyfreithlon, a'i fenthyg i'w ffrind, gan fwriadu ad-dalu'r arian y dydd Llun canlynol. Ond bu staff yn gwirio'r sêff ar hap cyn i'r arian gael ei ddychwelyd, a daeth yn amlwg ei fod ar goll. Cafodd ei ddyfarnu'n euog o ddwyn ar y sail ei fod yn bwriadu amddifadu'r perchennog yn barhaol o'r union bapurau a darnau arian hynny, er gwaethaf y ffaith ei fod yn bwriadu dychwelyd eitemau o'r un gwerth.

Anonestrwydd

Nid yw *Adran 2 Deddf Dwyn 1968* yn diffinio anonestrwydd, ond mae'n rhoi enghreifftiau o ymddygiad sydd ddim yn anonest. Mae'n nodi:

'Os yw rhywun yn perchnogi eiddo sy'n perthyn i rywun arall, ni ddylid ei ystyried yn anonest:

> *(a) os yw'n perchnogi'r eiddo gan gredu bod ganddo hawl cyfreithiol i amddifadu'r llall ohono, ar ei ran ei hun neu ar ran trydydd person; neu*
>
> *(b) os yw'n perchnogi'r eiddo gan gredu y byddai ganddo gydsyniad y person arall, pe bai hwnnw'n gwybod am y perchnogi ac amgylchiadau'r perchnogi; neu*
>
> *(c) (ac eithrio pan gafodd y person yr eiddo fel ymddiriedolwr neu gynrychiolydd personol) os yw'n perchnogi'r eiddo gan gredu nad yw'n bosibl darganfod i bwy mae'r eiddo'n perthyn drwy gymryd camau rhesymol.'*

Adran 2(2): *'Gall person sy'n perchnogi eiddo sy'n perthyn i rywun arall gael ei ystyried yn anonest, er ei fod yn barod i dalu am yr eiddo.'*

Mae'r holl brofion uchod yn rhai **goddrychol**: maen nhw'n cael eu penderfynu ar sail yr hyn mae'r diffynnydd yn ei gredu, yn hytrach na'r hyn dylai unigolyn rhesymol ei wybod neu ei gredu (**gwrthrychol**).

Os nad yw'r profion uchod yn berthnasol, dylid defnyddio'r prawf anonestrwydd a amlinellwyd yn achos allweddol *R v Ghosh (1982)*. Hwn yw'r prawf y gall rheithgor ei ddefnyddio i benderfynu beth sy'n gallu cael ei ystyried yn anonestrwydd.

1. A yw'r diffynnydd wedi bod yn anonest yn ôl safonau rhywun cyffredin, gonest a rhesymol?

2. Os mai 'ydy' yw'r ateb, a wnaeth y diffynnydd sylweddoli ei fod yn anonest yn ôl y safonau hynny?

Os oes ateb cadarnhaol i'r ddau gwestiwn uchod, yna gall y diffynnydd fod yn anonest yn ôl y gyfraith. Os oes ateb negyddol i un o'r ddau gwestiwn uchod, nid yw'r diffynnydd yn anonest.

Yn *R v Ghosh (1982)*, dywedodd yr Arglwydd Lane:

'Wrth benderfynu a yw'r erlyniad wedi profi bod y diffynnydd yn gweithredu'n anonest, rhaid i'r rheithgor benderfynu, yn y lle cyntaf, a oedd yr hyn a gafodd ei wneud yn weithred anonest, a hynny yn ôl safonau cyffredin pobl resymol a gonest. Os nad oedd yn anonest yn ôl y safonau hynny, dyna ddiwedd y mater ac mae'r erlyniad yn methu. Os oedd yn anonest yn ôl y safonau hynny, yna rhaid i'r rheithgor ystyried a oedd y diffynnydd ei hun wedi sylweddoli bod yr hyn roedd yn ei wneud yn anonest yn ôl y safonau hynny.'

Mae rhan gyntaf y prawf yn wrthrychol, ac mae'r ail ran yn gofyn a oedd y diffynnydd yn sylweddoli ei fod wedi bod yn anonest yn ôl y safonau hynny (hyd yn oed os nad oedd y diffynnydd yn ei ystyried ei hun yn anonest). O dan gyfraith gwlad/cyfraith gyffredin, mae rhywun yn anonest os yw'n ymddwyn yn anonest yn ôl safonau pobl resymol, a bod y diffynnydd yn sylweddoli hyn.

Lladrad

Mae'r drosedd hon yn debyg i ddwyn, ond mae'n cynnwys y defnydd o rym wrth gyflawni'r dwyn. Mae bwrgleriaeth (gweler tudalen 43) yn golygu mynd i mewn i eiddo er mwyn dwyn. Mae'n bwysig deall y gwahaniaethau allweddol hyn rhwng y tair trosedd eiddo.

Mae lladrad wedi'i ddiffinio yn **a8(1) Deddf Dwyn 1968**:

'Mae rhywun yn euog o ladrad os yw'n dwyn, ac yn syth cyn y dwyn neu ar yr un pryd, ac er mwyn dwyn, yn defnyddio grym ar unrhyw unigolyn neu'n ceisio codi ofn ar unrhyw unigolyn drwy fygwth defnyddio grym yn ei erbyn.'

Mae'n drosedd **dditiadwy** ac felly bydd yn mynd ar brawf drwy dditiad yn **Llys y Goron**. Mae'n drosedd fwy difrifol na dwyn, a gall euogfarn arwain at uchafswm o **garchar am oes**.

Mae rhai wedi galw'r drosedd yn fath o **ddwyn gwaethygedig**, gan ei bod yn cynnwys trosedd dwyn **yn ogystal â** grym neu fygwth grym.

Dyma elfennau *actus reus* lladrad:

1. *actus reus* dwyn
2. defnyddio grym neu fygwth grym er mwyn dwyn
3. yn syth cyn dwyn neu ar yr un pryd
4. ar unrhyw unigolyn.

Dyma elfennau *mens rea* lladrad:

1. *mens rea* dwyn
2. bwriad o ddefnyddio grym er mwyn dwyn.

Actus reus lladrad

1. Dwyn

Rhaid i **holl** elfennau dwyn fod yn bresennol er mwyn i ladrad ddigwydd. Os oes un elfen ar goll, nid yw'n lladrad. Cafodd hyn ei gadarnhau yn *R v Robinson (1977)*. I grynhoi, dyma elfennau dwyn sydd wedi'u diffinio yn *a1 Deddf Dwyn 1968*:

- perchnogi
- eiddo
- sy'n perthyn i rywun arall
- mewn ffordd anonest
- gyda'r bwriad o amddifadu'r llall ohono yn barhaol.

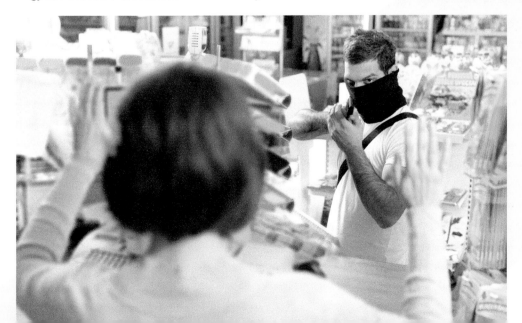

2. Grym bwriadol

Yr elfen hon sy'n gwahaniaethu rhwng lladrad a dwyn. Gall enghreifftiau o'r 'grym' hwn gynnwys gwthio rhywun er mwyn cymryd bag llaw, neu daro rhywun er mwyn cymryd ffôn symudol. Mae **bygwth grym** hefyd yn ddigonol – er enghraifft, chwifio cyllell at rywun a mynnu ei fod yn ildio ei waled. Fodd bynnag, rhaid defnyddio'r grym **er mwyn dwyn** AC mae'n rhaid iddo ddigwydd **yn syth cyn y dwyn neu ar yr un pryd**. Unwaith bydd y weithred o ddwyn yn **gyflawn**, mae hyn yn cyfrif fel lladrad. Cafodd hynny ei gadarnhau yn *Corcoran v Anderton (1980)*. Yn yr achos hwn, ni chafodd y weithred o ddwyn ei chwblhau (daliodd y fenyw ei gafael ar ei bag a wnaeth hi ddim gadael i'r ymosodwyr ei gymryd) felly dim ond **ymgais i ladrata** oedd hon.

Grym (neu fygwth grym) sy'n cael ei ddefnyddio er mwyn dwyn

Mater i'r rheithgor yw penderfynu a oes grym (neu fygwth grym) digonol i ddwyn. Gall gynnwys ychydig iawn o rym, fel y cadarnhaodd *Dawson and James (1976)* ac *R v Clouden (1987)*.

Gall grym gael ei ddefnyddio yn anuniongyrchol yn erbyn y dioddefwr – er enghraifft, os bydd yn cael ei ddefnyddio yn erbyn eiddo. Yn *R v Clouden (1987)*, roedd y diffynnydd wedi cipio bag siopa o law'r dioddefwr. Roedd yr ymddygiad hwn yn ddigonol i fod yn gyfystyr â grym at ddibenion trosedd lladrata.

Ond, er enghraifft, pe bai ffôn symudol yn syrthio o law rhywun neu pe bai diffynnydd yn cipio gliniadur oddi ar lin rhywun, efallai na fyddai hynny'n cael ei ystyried yn 'rym' digonol ar gyfer lladrata. Yn *P v DPP (2012)*, cadarnhaodd y llys na fyddai cipio sigarét o law y dioddefwr yn gyfystyr â defnyddio grym.

Nid yw'n ofynnol i'r grym gael ei ddefnyddio; mae dim ond ofn y grym drwy fygythiad neu symudiad yn ddigonol. Er enghraifft, pe bai rhywun yn dweud 'Mae gen i gyllell, ac mi fydda i'n dy drywanu di os na wnei di roi dy waled i mi', mae hynny'n ddigon i greu ofn grym.

Mae'n bwysig cofio bod rhaid defnyddio'r grym (neu fygwth ei ddefnyddio) **er mwyn dwyn**. Er enghraifft, mae diffynnydd yn gwthio menyw i'r llawr gan fwriadu ei threisio, ac mae hi'n cynnig rhoi ei horiawr drud iddo os bydd ef yn peidio. Os bydd yn cymryd yr oriawr, mae wedi defnyddio grym, ac wedi dwyn – ond ni fyddai hyn yn gyfystyr â lladrata. Mae hyn oherwydd i'r grym gael ei ddefnyddio gyda'r bwriad o'i threisio, ac nid er mwyn dwyn.

Grym sy'n cael ei ddefnyddio yn syth cyn dwyn neu ar yr un pryd

Mae'r cwestiwn ynglŷn ag union ystyr 'yn syth cyn' wedi cael ei drafod yn y llysoedd. Cadarnhaodd y llysoedd yn *R v Hale (1979)* y gall fod yn achos o ladrad os yw'r weithred o ddwyn **yn parhau** wrth i'r grym gael ei ddefnyddio.

R v Hale (1979)

Gwthiodd dau ddiffynnydd heibio i fenyw gan fynd i mewn i'w thŷ. Rhoddodd un ei law ar ei cheg, ac aeth y llall i fyny'r grisiau a chymryd blwch gemwaith. Cyn iddyn nhw adael y tŷ, fe wnaethon nhw glymu'r fenyw. Barnodd y Llys Apêl fod grym wedi cael ei ddefnyddio (pan roddodd y diffynnydd ei law ar geg y dioddefwr) yn syth cyn y dwyn (cymryd y blwch gemwaith). Roedd y llys hefyd o'r farn y gallai clymu'r fenyw cyn gadael y tŷ gyda'r blwch gemwaith, fel gweithred barhaus, fod yn gyfystyr â grym at ddibenion lladrata. Roedd y 'perchnogi' yn parhau drwy hyn. Cafodd y rhesymeg hon ei dilyn yn R v Lockley (1995).

Ar unrhyw berson

Does dim rhaid i'r weithred o ddwyn gael ei chyflawni yn erbyn yr unigolyn sy'n cael ei fygwth. Er enghraifft, yn ystod lladrad arfog mewn banc, byddai cwsmer sy'n digwydd bod yn y banc lle mae'r lladrad yn digwydd yn ofni bod grym am gael ei ddefnyddio yn ei erbyn; ond byddai'r arian sy'n cael ei ddwyn yn eiddo i'r banc. Byddai hyn yn dal i fod yn achos o ladrata.

YMESTYN A HERIO

Beth os nad yw'r bygythiad yn un 'gwirioneddol'? Er enghraifft, beth os yw'r diffynnydd yn rhoi ei fysedd y tu mewn i'w siaced er mwyn ymddangos fel pe bai'n cario gwn? Ymchwiliwch i *R v Bentham (2005)* ar y mater hwn.

Mens rea lladrad

Mens rea lladrad yw *mens rea* dwyn (sef anonestrwydd a bwriad o amddifadu'r llall yn barhaol o'r eiddo) **yn ogystal â** bwriad o ddefnyddio grym er mwyn dwyn.

Bwrgleriaeth

Dehongliad arferol 'bwrgleriaeth' yw 'torri i mewn i eiddo preifat rhywun a dwyn eiddo oddi yno'. Mae *Adran 9 Deddf Dwyn 1968* yn nodi'n glir fod y drosedd yn mynd ymhellach na hyn. Mae *Adran 9 Deddf Dwyn 1968* yn rhoi'r diffiniad canlynol o'r drosedd:

'*(1) Mae rhywun yn euog o fwrgleriaeth —*

(a) os yw'n mynd i mewn i unrhyw adeilad neu ran o adeilad fel tresmaswr, gyda'r bwriad o gyflawni unrhyw drosedd y cyfeirir ati yn isadran (2) isod; neu

(b) ar ôl mynd i mewn i unrhyw adeilad neu ran o adeilad fel tresmaswr, os yw'n dwyn neu'n ceisio dwyn rhywbeth yn yr adeilad neu ran o adeilad neu'n achosi niwed corfforol difrifol i unrhyw un yn y cyfryw adeilad, neu'n ceisio'i achosi.

(2) Mae'r troseddau y cyfeirir atyn nhw yn isadran (1)(a) uchod yn cynnwys dwyn unrhyw beth yn yr adeilad neu ran o adeilad dan sylw, achosi niwed corfforol difrifol i unrhyw un yn y cyfryw adeilad, a gwneud difrod anghyfreithlon i'r adeilad neu unrhyw beth yn yr adeilad hwnnw.'

Mewn gwirionedd mae **dwy** drosedd bwrgleriaeth o dan *a9(1)(a)* ac *a9(1)(b)*. Mae trosedd hefyd o dan *a10 Deddf Dwyn 1968* sef bwrgleriaeth **waethygedig**.

Y ddedfryd uchaf am euogfarn bwrgleriaeth yw 14 blynedd os yw'r lleidr wedi mynd i mewn i **annedd**, neu uchafswm o 10 mlynedd os yw'r lleidr wedi mynd i mewn i unrhyw adeilad arall. Y ddedfryd uchaf ar gyfer bwrgleriaeth waethygedig yw carchar am oes.

Yn ôl *R v Flack (2013)*, dylai'r rheithgor ddehongli'r gair 'annedd' heb gael eu harwain gan y barnwr.

Bwrgleriaeth o dan a9(1)(a)

Mae rhywun yn euog o fwrgleriaeth o dan *a9(1)(a)* os yw'n mynd i mewn i adeilad, neu unrhyw ran o adeilad, fel tresmaswr, gyda'r bwriad o ddwyn, achosi niwed corfforol difrifol i unrhyw un yn yr adeilad neu achosi difrod troseddol.

Mae tair elfen i'r *actus reus*:

- mynd i mewn
- i adeilad neu ran o adeilad
- fel tresmaswr.

Mae dwy elfen i'r *mens rea*:

- bwriad neu fyrbwylltra i dresmasu
- bwriad dirgel (bwriad o ddwyn, achosi niwed corfforol difrifol neu ddifrodi'r adeilad neu ei gynnwys).

Bwrgleriaeth o dan a9(1)(b)

Mae rhywun yn euog o fwrgleriaeth o dan *a9(1)(b)* os yw, ar ôl mynd i mewn i adeilad neu ran o adeilad fel tresmaswr, yn dwyn neu'n ceisio dwyn unrhyw beth yn yr adeilad, neu'n achosi neu'n ceisio achosi niwed corfforol difrifol i unrhyw un y tu mewn iddo.

Mae pedair elfen i'r *actus reus*:

- mynd i mewn
- i adeilad neu ran o adeilad
- fel tresmaswr
- *actus reus* dwyn neu niwed corfforol difrifol, neu ymgais i ddwyn neu achosi niwed corfforol difrifol y tu mewn iddo.

Mae dwy elfen i'r *mens rea*:

- bwriad neu fyrbwylltra i dresmasu
- *mens rea* dwyn neu niwed corfforol difrifol, neu ymgais i ddwyn neu achosi niwed corfforol difrifol y tu mewn iddo.

Dyma'r prif wahaniaeth rhwng dwy drosedd bwrgleriaeth: o dan *a9(1)(a)*, mae'n rhaid bod gan y diffynnydd fwriad wrth fynd i mewn i'r adeilad, ond o dan *a9(1)(b)* gall y bwriad o gyflawni'r drosedd ddirgel ddod wedyn, gan nad yw bwriad y diffynnydd wrth fynd i mewn i'r adeilad yn berthnasol. Yn ogystal, mae *a9(1)(a)* yn cwmpasu difrod anghyfreithlon – ond nid yw *a9(1)(b)* yn gwneud hynny.

Actus reus bwrgleriaeth

Mae elfennau *actus reus* trosedd bwrgleriaeth yn gyffredin rhwng *a9(1)(a)* ac *a9(1)(b)*. Dyma nhw:

1. mynd i mewn
2. i adeilad neu ran o adeilad
3. fel tresmaswr.

Nawr ystyriwn yr elfennau cyffredin hyn yn eu tro.

1. Mynd i mewn

Mae'r elfen hon wedi cael ei diffinio yn y llysoedd drwy gyfraith achosion. Nid yw wedi'i diffinio mewn unrhyw statud.

Cadarnhaodd *R v Collins (1973)* fod rhaid 'cael mynediad effeithiol a sylweddol'. Yr achos nesaf yn ymwneud â'r mater oedd *R v Brown (1985)*, lle cafodd y diffiniad ei newid i ofyn am 'fynediad effeithiol' yn unig, gan ddileu'r angen am gael 'mynediad sylweddol'. Yn yr achos hwn, rhannol oedd y mynediad, gan fod y diffynnydd wedi rhoi ei ben a'i ysgwyddau yn unig drwy ffenestr agored i ddwyn eiddo y tu mewn. Cafodd hyn ei gyfrif yn fynediad 'effeithiol'. Yn *R v Ryan (1996)*, ni chafodd yr angen am gael mynediad 'effeithiol' ei ddilyn.

R v Ryan (1996)
*Roedd y diffynnydd wedi ceisio mynd i mewn i dŷ drwy ffenestr, ond roedd y perchennog wedi dod o hyd iddo a hanner ei gorff yn sownd y tu mewn i'r tŷ. Roedd ei ben ac un fraich yn y tŷ, ond nid oedd yn gallu cyrraedd unrhyw eiddo er mwyn ei ddwyn. Cafodd ei euogfarn am fwrgleriaeth ei chadarnhau, er nad oedd wedi cael mynediad 'effeithiol'. Does dim angen i'r weithred o ddwyn gael ei chwblhau er mwyn cael euogfarn o dan **a9(1)(a)**.*

Beth os nad yw'r diffynnydd wedi mynd i mewn i'r adeilad yn gorfforol, ond ei fod yn defnyddio dull arall o gael mynediad i'r adeilad? Os defnyddir offer fel gwialen bysgota drwy ffenestr agored i ddwyn rhywbeth y tu mewn, gall hynny fod yn gyfystyr â 'mynd i mewn' at ddibenion bwrgleriaeth.

2. Adeilad neu ran o adeilad

Rhaid i'r diffynnydd fynd i mewn i adeilad neu ran o adeilad fel tresmaswr. Nid yw'r Ddeddf yn diffinio 'adeilad', ond mae wedi cael ei ddiffinio'n eang fel arall. Mae'n cynnwys adeileddau traddodiadol fel fflatiau, ffatrïoedd, siopau a thai, ond mae siediau a thai allan hefyd yn cael eu hystyried yn 'adeiladau'. Yn ôl **Adran 9(3) Deddf Dwyn 1968**, mae 'adeilad' yn cynnwys 'cerbydau neu longau mae pobl yn byw ynddynt', gan gynnwys pethau fel carafannau a chychod preswyl. Gan fod pebyll yn adeileddau dros dro, nid yw'r rhain wedi'u cynnwys; felly, mae dwyn rhywbeth o babell yn achos o ddwyn, nid bwrgleriaeth.

Beth am adeileddau dros dro sydd wedi'u defnyddio ar gyfer storio neu wneud gwaith, fel cynhwysydd llongau neu gaban 'Portakabin'? Mae rhai enghreifftiau o achosion yn ymwneud â hyn. Yn achos *B and S v Leathley (1979)*, cadarnhaodd y llys fod rhewgell yn yr awyr agored, wedi'i chysylltu â chyflenwad trydan, yn adeilad.

Ond yn *Norfolk Constabulary v Seekings and Gould (1986)*, ni chafodd trelar lori ar olwynion, wedi'i gysylltu â chyflenwad trydan, ei ystyried yn adeilad.

Gall bwrgleriaeth ddigwydd mewn **rhan o adeilad** hefyd. Mae hyn yn cynnwys sefyllfaoedd pan fydd diffynnydd mewn rhan o adeilad nad oes ganddo ganiatâd i fod ynddo. Felly byddai'n dresmaswr yn y rhan honno. Er enghraifft, mae gan gwsmeriaid mewn archfarchnad hawl i fod yn y siop. Ond maen nhw'n tresmasu os ydyn nhw'n mynd i ran o'r adeilad (e.e. storfa neu ystafell staff) lle nad oes ganddyn nhw ganiatâd i fod. Felly, byddai cymryd eitem o silff yr archfarchnad yn achos o ddwyn, ond byddai cymryd rhywbeth o'r storfa yn fwrgleriaeth.

R v Walkington (1979)
Aeth diffynnydd i mewn i siop fel cwsmer, ond yna aeth y tu ôl i'r cownter er mwyn mynd at y til. Gyda hynny daeth yn dresmaswr, a chafodd ei gyhuddo o fwrgleriaeth. Roedd ganddo ganiatâd i fod yn y siop, ond nid yn ardal y cownter, lle roedd yn dresmaswr. Ei fwriad oedd dwyn o'r til, felly roedd hyn yn fwrgleriaeth.

Ymchwiliwch i *R v Smith and Jones (1976)*. Beth oedd y ffeithiau? Sut roedd y diffynnydd wedi mynd y tu hwnt i'w ganiatâd ac wedi dod yn 'dresmaswr'?

GWELLA GRADD

Yr enw ar yr elfen o fyrbwylltra goddrychol sy'n ofynnol ar gyfer mynd i mewn fel tresmaswr yw **byrbwylltra Cunningham**, wedi ei henwi ar ôl *R v Cunningham (1975)*.

3. Fel tresmaswr

Mae tresmasu yn gysyniad cyfraith sifil. Tresmaswr yw rhywun sydd heb ganiatâd i fod mewn adeilad neu ran o'r adeilad (fel yn *R v Walkington (1979)*, uchod).

Os yw'r diffynnydd wedi cael caniatâd i fynd i mewn i'r adeilad neu ran o'r adeilad, nid yw'n dresmaswr – fel y gwelir yn *R v Collins (1972)*. Rhaid dangos bod y diffynnydd yn gwybod ei fod yn tresmasu neu ei fod wedi gweithredu â byrbwylltra **goddrychol** wrth wneud hynny.

Mae'n bosibl bod rhywun wedi cael caniatâd i fynd i mewn, ond ei fod yn mynd y tu hwnt i'r caniatâd hwnnw, fel yn *R v Smith and Jones (1976)*. Mae hyn yn cwmpasu pob math o sefyllfaoedd lle mae person yn aros y tu hwnt i'r hyn sydd wedi ei ganiatáu (e.e. mae gan rywun docyn i fynd i weld sioe gelf, ond mae'n aros yn yr adeilad ar ôl i'r sioe orffen ac yn dwyn cerflun).

Mens rea bwrgleriaeth

Mae'r *mens rea* o dan *a9(1)(a)* yn wahanol i'r *mens rea* o dan *a9(1)(b)*.

Mens rea o dan a9(1)(a)

Yn gyntaf, mae'n rhaid profi bod gan y diffynnydd fwriad neu fyrbwylltra goddrychol i dresmasu, ac yn ail, fod y diffynnydd, **ar yr adeg pan aeth i mewn**, wedi bwriadu cyflawni un o'r troseddau a restrir yn *a9(2)*. Mae'r rhain yn cael eu galw yn **droseddau dirgel**, sef dwyn, achosi niwed corfforol difrifol neu ddifrod anghyfreithlon i'r adeilad neu unrhyw beth ynddo. Mae'n rhaid bod gan y diffynnydd fwriad wrth fynd i mewn. Os nad oedd ganddo fwriad pan aeth i mewn, ni fydd llunio bwriad dirgel yn ddiweddarach yn gyfystyr â bwrgleriaeth. Ar yr amod bod y diffynnydd yn mynd i mewn gyda'r bwriad perthnasol, cyflawnir trosedd lawn bwrgleriaeth wrth iddo fynd i mewn; does dim rheidrwydd i'r diffynnydd fynd yn ei flaen i gyflawni'r drosedd ddirgel ei hun.

Mens rea o dan a9(1)(b)

Mae'r adran hon yn wahanol ac yn haws ei phrofi. Fel yn achos *a9(1)(a)*, mae'n rhaid profi bod gan y diffynnydd fwriad neu fyrbwylltra goddrychol i dresmasu. Does dim rhaid profi unrhyw *mens rea* wrth ddod i mewn i'r adeilad. Ond mae'n rhaid profi bod y diffynnydd, ar ôl dod i mewn, wedi cyflawni'r drosedd ddirgel neu wedi ceisio'i chyflawni.

Sgiliau Arholiad

Mae'r testun hwn yn cael ei arholi yn aml fel senario problem. Bydd angen i chi allu **esbonio** a/neu **gymhwyso** atebolrwydd troseddol y partïon dan sylw. Bydd angen i chi benderfynu pa drosedd gafodd ei chyflawni: dwyn, lladrata a/neu fwrgleriaeth. Gall mwy nag un drosedd eiddo ymddangos, felly gwnewch yn siŵr eich bod yn nodi'r drosedd fwrgleriaeth gywir o dan *a9(1)(a) neu (b)*.

Efallai bydd rhaid i chi **ddadansoddi** a **gwerthuso** effeithiolrwydd y gyfraith yn y maes hwn hefyd, ac **ystyried** cynigion o ran diwygio.

Crynodeb: Troseddau eiddo

Dwyn: *a1 Deddf Dwyn 1968*

▶ Dedfryd uchaf o saith mlynedd o garchar

▶ Trosedd sy'n brofadwy neillffordd

▶ Mae tair elfen i'r **actus reus**:

- Perchnogi (*a3*): Bwndel o hawliau: *R v Morris (1923)*, *Lawrence v MPC (1972)*, *R v Gomez (2000)*, *R v Hinks (2000)*

- Eiddo (*a4*): Eiddo tirol, eiddo anghyffwrdd, pethau mewn achos, *Oxford v Moss (1979)*, pethau na ellir eu dwyn

- Yn perthyn i rywun arall (*a5*): Meddiant neu reolaeth, hawl neu fudd perchnogaeth, ei eiddo ei hun: *R v Turner No 2 (1971)*, rhwymedigaeth i ddefnyddio mewn ffordd benodol, camgymeriad

▶ *Mens rea*:
- Anonestrwydd: *a2* a phrawf *Ghosh*
- Bwriadu amddifadu'n barhaol (*a6*): *Lloyd (1985)*, *Velumyl (1989)*

Lladrad: *a8 Deddf Dwyn 1968*

▶ Dedfryd uchaf o garchar am oes

▶ Trosedd dditiadwy

▶ *Actus reus*:
- *Actus reus* dwyn: *a1 Deddf Dwyn 1968*
- Defnyddio grym neu fygwth grym er mwyn dwyn: *Corcoran v Anderton (1980)*, *Dawson and James (1976)*, *Clouden (1987)*
- Yn syth cyn dwyn neu ar yr un pryd: *Hale (1979)*
- Ar unrhyw berson

▶ *Mens rea* lladrad:
- *Mens rea* dwyn
- Bwriad o ddefnyddio grym er mwyn dwyn

Bwrgleriaeth: *a9(1)(a)* ac *a9(1)(b) Deddf Dwyn 1968*

▶ Dedfryd uchaf o 14 blynedd o garchar

▶ Trosedd sy'n brofadwy neillffordd

▶ **Bwrgleriaeth o dan *a9(1)(a)*:** Mae rhywun yn euog o fwrgleriaeth os yw'n mynd i mewn i adeilad, neu unrhyw ran o adeilad, fel tresmaswr, gyda'r bwriad o ddwyn, achosi niwed corfforol difrifol i unrhyw un yn yr adeilad neu ddifrod troseddol

▶ Mae tair elfen i ***actus reus*** bwrgleriaeth o dan *a9(1)(a)*:
- **Mynd i mewn:** *R v Collins (1973)*, *R v Brown (1985)*, *Ryan (1996)*
- (i) **adeilad**: *B and S v Leathley (1979)*, neu **ran o adeilad**: *Walkington (1979)*
- fel **tresmaswr**: *Walkington (1979)*. Caniatâd i fynd i mewn: *Collins (1972)*, *Smith and Jones (1976)*

▶ Mae dwy elfen i ***mens rea*** bwrgleriaeth o dan *a9(1)(a)*:
- **Bwriad** neu **fyrbwylltra** i dresmasu
- **Bwriad dirgel**: bwriad o ddwyn, achosi niwed corfforol difrifol neu ddifrodi'r adeilad neu ei gynnwys

▶ **Bwrgleriaeth o dan *a9(1)(b)*:** Bydd rhywun yn euog os yw, ar ôl mynd i mewn i adeilad neu ran o adeilad fel tresmaswr, yn dwyn, yn ceisio dwyn neu'n achosi niwed corfforol difrifol neu'n ceisio'i achosi i unrhyw un yn yr adeilad.

▶ Mae pedair elfen i ***actus reus*** bwrgleriaeth o dan *a9(1)(b)*:
- **Mynd i mewn:** *R v Collins (1973)*, *R v Brown (1985)*, *Ryan (1996)*
- (i) **adeilad**: *B and S v Leathley (1979)*, neu ran o adeilad: *R v Walkington (1979)*
- fel **tresmaswr**: *R v Walkington (1979)*, caniatâd i fynd i mewn: *R v Collins (1972)*, *R v Smith and Jones (1976)*
- ***Actus reus* dwyn/achosi niwed corfforol difrifol**, neu ymgais i ddwyn/achosi niwed corfforol difrifol y tu mewn

▶ Mae dwy elfen i ***mens rea*** bwrgleriaeth o dan *a9(1)(b)*:
- **Bwriad** neu **fyrbwylltra** i dresmasu
- *Mens rea* dwyn/achosi niwed corfforol difrifol, neu ymgais i ddwyn neu achosi niwed corfforol difrifol y tu mewn.

Cyfeirnod y fanyleb	Cynnwys allweddol	Amcanion Asesu	Ble mae'r pwnc hwn yn ymddangos yn y fanyleb/arholiadau?
CBAC U2 3.16: Amddiffyniadau	• Amddiffyniadau gallu mewn perthynas â gorffwylledd a meddwdod • Meddwdod o ganlyniad i alcohol • Meddwdod o ganlyniad i gyffuriau • Gorffwylledd • Awtomatiaeth: awtomatiaeth orffwyll a heb fod yn orffwyll • Amddiffyniadau rheidrwydd mewn perthynas â hunanamddiffyniad, gorfodaeth a gorfodaeth amgylchiadau • Hunanamddiffyniad • Gorfodaeth drwy fygythiad • Gorfodaeth amgylchiadau	**AA1** Dangos gwybodaeth a dealltwriaeth o reolau ac egwyddorion cyfreithiol **AA2** Cymhwyso rheolau ac egwyddorion cyfreithiol at senarios penodol er mwyn cyflwyno dadl gyfreithiol gan ddefnyddio terminoleg gyfreithiol briodol **AA3** Dadansoddi a gwerthuso rheolau, egwyddorion, cysyniadau a materion cyfreithiol	**CBAC U2:** Uned 3; Adran C; Uned 4; Adran C

ACHOS ALLWEDDOL

M'Naghten (1843)
Roedd obsesiwn Daniel M'Naghten â Phrif Weinidog Prydain, Robert Peel, wedi datblygu i'r fath raddau nes iddo benderfynu ei saethu. Methodd, gan saethu a lladd ysgrifennydd y Prif Weinidog, Edward Drummond, yn lle Peel. Barnwyd ei fod yn dioddef o baranoia eithafol, a'i ganfod yn ddieuog ar sail gorffwylledd.

Amddiffyniadau Cyfraith trosedd: Amddiffyniad gallu mewn perthynas â gorffwylledd

Cafodd Rheolau M'Naghten eu llunio gan Dŷ'r Arglwyddi yn dilyn achos *M'Naghten*, a hynny oherwydd protestiadau'r cyhoedd.

Dylid rhagdybio bod y diffynnydd yn gall, oni bai ei fod yn gallu profi, ar adeg y drosedd:

1. ei fod yn gweithredu o dan y fath reswm diffygiol
2. wedi ei achosi gan afiechyd meddwl
3. nes nad oedd yn gwybod beth oedd natur neu ansawdd y weithred; neu, os oedd yn gwybod y pethau hynny, nad oedd yn gwybod bod yr hyn roedd yn ei wneud yn anghywir.

1. Rheswm diffygiol

Mae'r llysoedd wedi datgan bod rhaid sicrhau nad oes gan y diffynnydd unrhyw allu i resymu. Nid yw anghofrwydd neu ddryswch yn ddigon. Yn *Clarke (1972)*, cafodd menyw ei chyhuddo o ddwyn o archfarchnad, ond dywedwyd ei bod hi'n ymddwyn yn anghofus oherwydd iselder a diabetes. Dywedodd y llys nad yw rheolau gorffwylledd yn gymwys i'r rhai sy'n dal i fod â gallu i resymu, ond eu bod heb ei ddefnyddio ar adegau o ddryswch neu anghofrwydd.

2. Afiechyd meddwl

Gall hwn fod yn afiechyd meddyliol neu gorfforol sy'n effeithio ar y meddwl. Term cyfreithiol yw hwn, yn hytrach nag un meddygol. Mae'n cwmpasu cyflyrau meddygol fel sgitsoffrenia, yn ogystal â llawer o gyflyrau eraill na fydden nhw'n cael eu diffinio fel salwch meddwl mewn unrhyw ystyr feddygol; fodd bynnag, rhaid i hyn gael ei achosi gan **ffactor mewnol**.

Yn **R v Quick (1973)**, cafodd y cyflwr ei achosi gan **ffactor allanol**, sef cyffur inswlin. Felly, roedd y diffynnydd yn gallu dibynnu ar amddiffyniad awtomatiaeth yn unig, ac **nid** ar orffwylledd.

Meddwdod gwirfoddol

Pan fydd y diffynnydd yn cymryd sylwedd meddwol yn wirfoddol, a'r sylwedd hwnnw'n achosi cyfnod seicotig dros dro, ni ellir defnyddio amddiffyniad **gorffwylledd**. Mae hyn oherwydd bod y sylwedd meddwol yn **ffactor allanol**. Mae achosion allweddol *R v Coley (2013)* ac *R v Harris (2013)* yn dangos y pwynt hwn yn dda.

ACHOS ALLWEDDOL

R v Coley (2013)
Roedd y diffynnydd, a oedd yn defnyddio canabis yn rheolaidd, wedi ymosod ar ei gymydog a'i phartner â chyllell. Pan gafodd ei arestio, dywedodd ei fod wedi llewygu ac nad oedd yn cofio dim am yr hyn oedd wedi digwydd. Awgrymodd adroddiad seiciatrig y gallai fod wedi dioddef cyfnod seicotig byr ar ôl cymryd y canabis. Gwrthododd y barnwr dderbyn amddiffyniad gorffwylledd, a chafodd Coley ei ddedfrydu'n euog o ymgais i lofruddio. Cadarnhaodd y Llys Apêl ei euogfarn, gan fod y sefyllfa yn ymwneud â meddwdod gwirfoddol, ac oherwydd yr achoswyd yr annormaledd gan weithred allanol.

3. Natur ac ansawdd y weithred

Mae hyn yn cyfeirio at natur gorfforol y weithred. Mae dau reswm pam na fyddai'r diffynnydd yn gwybod beth yw natur gorfforol y weithred:

1. mae'n anymwybodol neu heb ymwybyddiaeth lawn; neu
2. mae'n ymwybodol ond nid yw'n deall neu'n gwybod beth mae'n ei wneud, oherwydd ei gyflwr meddyliol.

Os gall y diffynnydd ddangos bod un o'r ddau reswm hyn yn gymwys ar adeg y weithred, yna mae'r rhan hon o reolau M'Naghten wedi'i bodloni. Roedd y ddau ddiffynnydd yn achos *Kemp (1956)* a *Burgess (1991)* mewn cyflwr anymwybodol, ac mae achos mwy diweddar *Oye (2013)* yn enghraifft o ddiffynnydd oedd heb wybod beth oedd natur ac ansawdd ei weithred.

R v Oye (2013)

Roedd Oye yn ymddwyn yn od mewn caffi a galwyd yr heddlu. Pan gyrhaeddodd yr heddlu, dechreuodd Oye daflu platiau atyn nhw, felly cafodd ei arestio ac aethon nhw ag ef i'r orsaf heddlu. Roedd yn dal i ymddwyn yn od, ac un o'r pethau a wnaeth oedd yfed o danc dŵr toiled. Pan gafodd ei symud i'r ddalfa, collodd ei dymer a tharo swyddog yn ei hwyneb, gan dorri ei gên. Cafodd Oye ei gyhuddo o ymosod ac achosi gwir niwed corfforol a dau achos o affräe.

Yn ei amddiffyniad, dadleuodd Oye ei fod yn credu bod yr heddlu yn ddiafoliaid ac yn gweithio ar ran ysbrydion drwg. Yn ei dreial, roedd y dystiolaeth feddygol yn nodi bod Oye wedi cael cyfnod seicotig, ac nad oedd yn gwybod beth roedd yn ei wneud a/ neu bod yr hyn roedd yn ei wneud yn anghywir. Er y dystiolaeth hon, ac er i'r barnwr gyfeirio'r rheithgor at amddiffyniad gorffwylledd, cafwyd Oye yn euog. Newidiodd y Llys Apêl y rheithfarn hon i un ddieuog oherwydd gorffwylledd.

YMESTYN A HERIO

I baratoi ar gyfer trafodaeth am gyflyrau eraill a all fod yn gyfystyr ag afiechyd meddwl, ymchwiliwch i achosion allweddol *R v Kemp (1956)*, *Sullivan (1984)*, *Hennessy (1989)* a *Burgess (1991)*. Gwnewch yn siŵr eich bod yn gwybod ffeithiau'r achosion allweddol hyn, a sut gweithiodd amddiffyniad gorffwylledd ym mhob un ohonyn nhw.

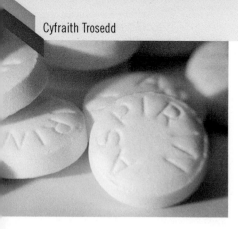

Mae'n rhaid i ddiffynyddion brofi nad oedden nhw'n gwybod bod yr hyn roedden nhw'n ei wneud yn anghywir yn ôl y gyfraith. Os yw'r diffynnydd yn gwybod beth yw natur ac ansawdd y weithred a'r ffaith ei bod yn anghywir yn ôl y gyfraith, nid yw'n gallu defnyddio amddiffyniad gorffwylledd, hyd yn oed os yw'n dioddef o salwch meddwl, fel yn *R v Windle (1952)*.

R v Windle (1952)

Rhoddodd y diffynnydd ddos gormodol o aspirin i'w wraig. Pan gyrhaeddodd yr heddlu, dywedodd 'Mae'n siŵr y byddaf yn cael fy nghrogi am hyn!' Roedd y datganiad olaf hwn yn dystiolaeth ei fod yn gwybod bod yr hyn roedd yn ei wneud yn anghywir, a chafodd ei grogi.

Dangoswyd bod Windle yn gwybod bod yr hyn roedd yn ei wneud yn anghywir, a'i fod yn gwybod beth oedd y gosb am ei weithred yn ôl y gyfraith. Cafodd yr un rhesymeg ei dilyn yn *R v Johnson (2007)*.

R v Johnson (2007)

*Gwthiodd y diffynnydd ei hun i mewn i fflat ei gymydog, a'i drywanu. Cafodd ei gyhuddo o anafu gyda'r bwriad o achosi niwed corfforol difrifol o dan **Ddeddf Troseddau Corfforol 1861**. Yn ystod ei dreial, cyflwynodd dau seiciatrydd dystiolaeth ei fod yn dioddef o sgitsoffrenia paranoid a rhithweledigaethau (hallucinations); ond roedd y ddau seiciatrydd yn cytuno, er gwaethaf y cyflyrau hyn, fod Johnson yn gwybod beth oedd natur ac ansawdd ei weithredoedd, a'i fod yn gwybod bod yr hyn roedd wedi ei wneud yn anghywir yn ôl y gyfraith. Cafodd Johnson euogfarn o anafu gyda bwriad. Cafodd yr euogfarn ei chadarnhau yn y Llys Apêl. Nid oedd amddiffyniad gorffwylledd ar gael yn yr achos hwn, gan fod Johnson yn gwybod beth oedd natur ac ansawdd ei weithredoedd a'u bod yn anghywir yn ôl y gyfraith (hynny yw, roedd yn gwybod bod y weithred yn groes i'r gyfraith).*

Y rheithfarn

Pan fydd diffynnydd yn llwyddo i brofi amddiffyniad gorffwylledd, mae'n rhaid i'r rheithgor ddwyn rheithfarn 'dieuog ar sail gorffwylledd'. Cyn 1991, yr unig gosb oedd gorchymyn ysbyty, ond nid oedd hyn yn briodol i'r rhai oedd yn dioddef o gyflyrau fel diabetes ac epilepsi.

Cyflwynodd *Deddf Trefniadaeth Droseddol (Gorffwylledd ac Anffitrwydd i Bledio) 1991* orchmynion newydd sy'n rhoi mwy o ddewis i farnwr. Erbyn hyn gall barnwr osod:

- gorchymyn ysbyty heb derfyn amser (gorfodol ar gyfer llofruddiaeth)
- gorchymyn ysbyty gyda therfyn amser
- gorchymyn gwarcheidwaeth
- gorchymyn goruchwylio a thriniaeth
- rhyddhad diamod.

Problemau gydag amddiffyniad gorffwylledd

- Un o'r prif broblemau yn ymwneud ag amddiffyniad gorffwylledd yw'r ffaith bod diffiniad gorffwylledd wedi cael ei osod yn *M'Naghten*, achos gafodd ei gynnal yn 1843. Yr adeg honno, doedd gwybodaeth feddygol ddim mor gyflawn, ac yn sgil datblygiadau mewn gwybodaeth feddygol am anhwylderau meddyliol, dylai diffiniad mwy modern gael ei ddefnyddio erbyn hyn.

- Problem arall yw'r ffaith bod diffiniad gorffwylledd yn ddiffiniad cyfreithiol, yn hytrach nag un meddygol. Dylai rhai diffynyddion gael eu hystyried yn orffwyll, ond nid ydynt yn cael eu hystyried felly (e.e. *R v Byrne (1960)*).

- Ar y llaw arall, mae diffynyddion sy'n dioddef o glefydau corfforol fel diabetes, neu hyd yn oed y rhai sy'n cerdded yn eu cwsg yn cael eu hystyried yn orffwyll (e.e. *R v Hennessy (1989)* ac *R v Burgess (1991)*).

- At hynny, mae'n rhaid i'r diffynnydd brofi gorffwylledd, a gall hyn fod yn groes i *Erthygl 6 y Confensiwn Ewropeaidd ar Hawliau Dynol* (mae'r diffynnydd yn ddieuog nes iddo gael ei brofi'n euog).

- Mae yna stigma'n rhan o gael eich ystyried yn orffwyll, ac eto dyna'r unig amddiffyniad sydd ar gael i lawer o ddiffynyddion.

- Cyfrifoldeb y rheithgor yw penderfynu a yw'r diffynnydd yn orffwyll, er nad ydyn nhw'n gymwys i wneud hyn mewn gwirionedd.

Diwygio amddiffyniad gorffwylledd

Mae sawl ymgais wedi bod i ddiwygio amddiffyniad gorffwylledd.

- **1953**: Awgrymodd y Comisiwn Brenhinol ar y Gosb Eithaf y dylid cynnwys pobl sydd ag 'ysgogiadau anorchfygol' (*irresistible impulses*), ond ni ddaeth hyn yn gyfraith. Yn hytrach, cyflwynodd y llywodraeth amddiffyniad 'cyfrifoldeb lleihaedig'. Ond mae hwn ar gael ar gyfer cyhuddiadau llofruddiaeth yn unig.

- **1975**: Awgrymodd Pwyllgor Butler bod angen rheithfarn 'dieuog ar sail tystiolaeth o anhwylder meddyliol' i gymryd lle amddiffyniad gorffwylledd. Ond ni ddaeth hyn yn gyfraith.

- **1989**: Awgrymodd y *Cod Troseddol Drafft* na ddylai diffynnydd fod yn euog ar sail tystiolaeth o anhwylder neu anfantais meddyliol difrifol, ond ni ddaeth hyn yn gyfraith.

- *Deddf Trefniadaeth Droseddol (Gorffwylledd ac Anffitrwydd i Bledio) 1991*: Roedd y ddeddf hon yn rhoi mwy o ddewis i farnwyr benderfynu ar ddedfryd pan fydd y diffynnydd yn defnyddio amddiffyniad gorffwylledd.

- **2012**: Mae papur Comisiwn y Gyfraith ar orffwylledd ac awtomatiaeth yn cynnig dewisiadau eraill, ond nid yw'n gwneud unrhyw gynigion pendant.

Cysylltiadau ag awtomatiaeth

Mae gorffwylledd hefyd yn cael ei alw'n 'awtomatiaeth orffwyll'; mae awtomatiaeth hefyd yn cael ei alw'n 'awtomatiaeth heb fod yn orffwyll'.

Mae gorffwylledd yn cael ei achosi gan ffactor mewnol; mae awtomatiaeth yn cael ei achosi gan ffactor allanol.

Y rheithfarn ar gyfer gorffwylledd yw 'dieuog oherwydd gorffwylledd', a bydd hefyd yn arwain at ryw fath o orchymyn triniaeth. Bydd ple lwyddiannus o awtomatiaeth yn arwain at ryddfarn lwyr.

Amddiffyniadau Cyfraith trosedd: Awtomatiaeth

Er mwyn i awtomatiaeth fod yn effeithiol fel amddiffyniad, mae'n rhaid i weithredoedd y diffynnydd fod yn gwbl anwirfoddol. Yn *Bratty v Attorney General for Northern Ireland (1963)*, cafodd ei ddiffinio fel hyn:

'gweithred a wneir gan y cyhyrau heb unrhyw reolaeth gan y meddwl, megis gwingo (*spasm*), gweithred atgyrch neu gonfylsiwn; neu weithred a wneir gan rywun sydd ddim yn ymwybodol o'r hyn mae'n ei wneud, fel gweithred wrth ddioddef cyfergyd (*concussion*) neu wrth gerdded yn ei gwsg.' Mae dau fath o awtomatiaeth:

1. **Awtomatiaeth orffwyll**, pan achosir yr awtomatiaeth gan afiechyd meddwl o fewn rheolau M'Naghten. Mewn achosion o'r fath, awtomatiaeth yw'r amddiffyniad, a dieuog oherwydd gorffwylledd yw'r ddedfryd.

2. **Awtomatiaeth heb fod yn orffwyll**, lle mae'r achos yn **allanol**. Pan fydd yr amddiffyniad yn llwyddiannus, mae'n amddiffyniad cyflawn ac mae'r diffynnydd yn ddieuog.

Gall cerdded yn eich cwsg gael ei ddiffinio fel awtomatiaeth.

Awtomatiaeth heb fod yn orffwyll

Mae hwn yn amddiffyniad gan nad yw'r *actus reus* yn wirfoddol ac nad oes gan y diffynnydd y *mens rea* gofynnol ar gyfer y drosedd. Er mwyn i awtomatiaeth fod yn effeithiol fel amddiffyniad, mae'n rhaid iddi gael ei hachosi gan **ffactor allanol** sy'n gwneud i'r diffynnydd golli pob rheolaeth dros ei weithredoedd. Mae enghreifftiau o achosion allanol yn cynnwys taro'r pen, gwenyn yn ymosod, neu bwl hir o disian.

Yn *Hill v Baxter (1958)*, cymeradwyodd y llys fater 'dim bai' pan oedd y diffynnydd mewn cyflwr o awtomatiaeth oherwydd achos allanol. Cymeradwyodd y llys benderfyniad cynharach *Kay v Butterworth (1945)*. Yn ôl hwn, ni ddylid cael rhywun yn euog os yw'n colli rheolaeth oherwydd achos allanol, heb fod bai arno ef ei hun. Yn yr achos hwn, dywedodd y barnwr:

'Ni ddylai rhywun fod yn atebol i gyfraith trosedd os bydd yn mynd yn anymwybodol wrth yrru, heb fod unrhyw fai arno ef ei hun. Er enghraifft, rhywun sy'n cael ei daro gan garreg neu sy'n cael ei daro'n wael yn sydyn, neu sy'n colli rheolaeth dros y car dros dro gan fod haid o wenyn yn ymosod arno.'

Yn *T (1990)*, derbyniwyd y gall straen eithriadol fod yn ffactor allanol a all achosi awtomatiaeth, er na lwyddodd yr amddiffyniad yn yr achos hwn.

Yn *Attorney General's Reference (No 2 of 1992) (1993)* nid yw rheolaeth rannol neu reolaeth gyfyngedig dros weithredoedd rhywun yn ddigonol i gael ei hystyried yn awtomatiaeth heb fod yn orffwyll.

Attorney General's Reference (No 2 of 1992) (1993)

Roedd y diffynnydd yn yrrwr lori a oedd wedi bod yn gyrru am sawl awr pan ddechreuodd yrru ar lain galed y draffordd. Gyrrodd arni am tua hanner milltir, cyn taro yn erbyn car oedd wedi torri i lawr, gan ladd dau o bobl. Plediodd y gyrrwr amddiffyniad awtomatiaeth heb fod yn orffwyll, gan ddadlau ei fod yn dioddef o gyflwr o'r enw 'gyrru heb ymwybyddiaeth', sy'n rhoi gyrrwr mewn rhyw fath o lesmair (trance). Cafodd ei ddyfarnu'n ddieuog gan y rheithgor. Pan gafodd yr achos ei gyfeirio gan y Twrnai Cyffredinol i'r Llys Apêl, ar fater cyfreithiol, penderfynodd y llys nad oedd yn bosibl defnyddio amddiffyniad awtomatiaeth gan fod ei gyflwr wedi achosi iddo golli rheolaeth yn rhannol yn unig.

Ffactorau allanol: Awtomatiaeth a diabetes

Yn *R v Quick (1973)*, cafodd hypoglycemia ei achosi gan ffactor allanol, gan fod y diffynnydd wedi cymryd ei inswlin ond heb fwyta – ac yna roedd wedi yfed alcohol. Llwyddodd i ddefnyddio awtomatiaeth fel amddiffyniad.

Yn *R v Hennessy (1989)*, cafodd hyperglycemia ei achosi gan ffactor mewnol (sef diabetes y diffynnydd), gan nad oedd wedi cymryd ei inswlin. Bu raid iddo ddibynnu ar amddiffyniad gorffwylledd.

Awtomatiaeth drwy hunan-gymhelliad

Mae'r amddiffyniad hwn yn annhebygol o fod ar gael os yw'r diffynnydd ei hun wedi achosi'r awtomatiaeth.

R v Bailey (1983)

Roedd y diffynnydd mewn cyflwr hypoglycemig gan ei fod wedi cymryd ei inswlin ond heb fwyta. Yna, ymosododd ar gariad newydd ei gyn-gariad â bar haearn. Roedd yn gwybod am y peryglon, gan ei fod wedi bod yn teimlo'n sâl, felly cafodd ei weithredoedd eu hystyried yn fyrbwyll. Doedd dim digon o dystiolaeth i ddefnyddio amddiffyniad awtomatiaeth yn llwyddiannus.

Yn *R v Hardie (1984*, gweler tudalen 54), roedd y diffynnydd wedi cymryd Valium. Byddai hyn fel arfer yn ei dawelu, ond yn hytrach cafodd effaith wahanol iawn gan ei gynhyrfu, a rhoddodd fflat ei gyn-gariad ar dân. Cafodd ganiatâd i ddefnyddio

YMESTYN A HERIO

Cymharwch *T (1990)* â *Burgess (1991)*. Beth yw'r gwahaniaethau rhwng yr achosion hyn?

amddiffyniad awtomatiaeth, gan ei fod wedi credu y byddai'r Valium yn ei dawelu – sef ei effaith arferol – ac felly nid oedd wedi bod yn fyrbwyll.

Os yw'r awtomatiaeth wedi ei hachosi gan ddiod neu gyffuriau, ni fydd yr amddiffyniad hwn ar gael.

Cynigion ar gyfer diwygio

Un o'r prif broblemau gydag amddiffyniad awtomatiaeth yw bod angen penderfynu ym mhob achos ai awtomatiaeth 'orffwyll' neu awtomatiaeth 'heb fod yn orffwyll' sydd dan sylw.

Ym mis Gorffennaf 2012, cyhoeddodd Comisiwn y Gyfraith bapur ar amddiffyniadau gorffwylledd ac awtomatiaeth. Roedd y papur yn nodi bod cysylltiad agos rhwng y ddau amddiffyniad, ac os bydd amddiffyniad gorffwylledd yn cael ei ddiwygio yna bydd raid diwygio amddiffyniad awtomatiaeth ar yr un pryd.

Sgiliau Arholiad

Gallai amddiffyniad gorffwylledd ac awtomatiaeth ymddangos yn arholiadau CBAC U2 unedau 3 a 4.

Gwnewch yn siŵr eich bod yn gallu **dadansoddi** a **gwerthuso** amddiffyniad gorffwylledd ac awtomatiaeth, a'ch bod hefyd yn gallu **cymhwyso** rheolau ac egwyddorion cyfreithiol amddiffyniad gorffwylledd ac awtomatiaeth i senarios penodol.

Amddiffyniadau Cyfraith trosedd: Meddwdod

Mae'r amddiffyniad hwn yn cynnwys meddwdod o ganlyniad i alcohol, cyffuriau neu sylweddau eraill (e.e. arogli glud).

Fel rheol, os yw rhywun yn meddwi o'i wirfodd ac yna'n cyflawni trosedd, does dim amddiffyniad.

Mae meddwdod yn berthnasol wrth benderfynu a oes gan y diffynnydd y *mens rea* gofynnol ar gyfer y drosedd neu beidio. Os nad oes gan y diffynnydd y *mens rea* gofynnol oherwydd ei gyflwr meddw, efallai na fydd yn euog; fodd bynnag, mae hyn yn dibynnu ar bennu a oedd y meddwdod yn wirfoddol neu'n anwirfoddol, ac a yw'r drosedd dan sylw yn drosedd bwriad penodol neu fwriad sylfaenol.

Meddwdod gwirfoddol a throseddau bwriad penodol

Troseddau yw'r rhain lle mae angen profi bwriad, yn ogystal â'r drosedd sylfaenol. Er enghraifft, *a18 Deddf Troseddau Corfforol 1861* yw niwed corfforol difrifol (*GBH: grievous bodily harm*) neu glwyfo maleisus gyda'r bwriad o achosi niwed corfforol difrifol.

Gall meddwdod gwirfoddol negyddu'r *mens rea* ar gyfer trosedd bwriad penodol. Os yw'r diffynnydd mor feddw nes nad yw'r *mens rea* ar gyfer y drosedd wedi'i ffurfio, mae'n ddieuog.

DPP v Beard (1920)

Roedd y diffynnydd wedi'i gyhuddo o lofruddiaeth. Yn ei amddiffyniad, dadleuodd ei fod yn rhy feddw i allu ffurfio'r mens rea ar gyfer y llofruddiaeth. Cafodd ei ddyfarnu'n euog, ond ar apêl, mynegodd yr Arglwydd Birkenhead y rheol sy'n dal i fod yn gymwys heddiw:

'Os oedd mor feddw nes na allai ffurfio'r bwriad gofynnol, nid oes modd ei gael yn euog o drosedd sydd ddim ond yn gallu cael ei chyflawni os profir y bwriad.'

Mae **R v Sheehan and Moore (1975)** yn enghraifft dda o achos lle barnodd y llys fod y diffynyddion mor feddw nes nad oedd ganddyn nhw'r *mens rea* ar gyfer llofruddiaeth:

Roedd y diffynyddion wedi taflu petrol dros drempyn a'i roi ar dân. Roedden nhw'n rhy feddw i fod wedi ffurfio unrhyw fwriad i ladd nac i achosi niwed corfforol difrifol; felly, gan nad oedd ganddyn nhw'r mens rea ar gyfer llofruddiaeth, roedden nhw'n gallu defnyddio meddwdod fel amddiffyniad. Fodd bynnag, cafwyd y diffynyddion yn euog o ddynladdiad, gan fod honno yn drosedd bwriad sylfaenol.

Fel arfer, mae hyn yn golygu lleihau'r cyhuddiad, yn hytrach nag osgoi atebolrwydd. Er enghraifft, yn **R v Lipman (1970)** (gweler tudalen 55), lladdodd y diffynnydd ei gariad pan oedd yn gweld rhithiau (*hallucinating*) oherwydd effaith y cyffur LSD. Cafodd ei farnu'n euog o ddynladdiad yn hytrach na llofruddiaeth.

Dylid cofio hefyd am achos **AG for Northern Ireland v Gallagher (1963)**, lle barnodd y llys fod bwriad meddw yn dal i fod yn fwriad. Prynodd y diffynnydd gyllell i ladd ei wraig, ac yfodd lawer iawn o wisgi er mwyn magu digon o hyder i gyflawni hyn. Cafodd ei ddyfarnu'n euog o lofruddiaeth.

Meddwdod gwirfoddol a throseddau bwriad sylfaenol

Nid yw meddwdod yn amddiffyniad ar gyfer trosedd bwriad sylfaenol. Fel y dywedwyd yn achos allweddol **DPP v Majewski (1977)**, mae hyn oherwydd bod meddwi'n wirfoddol yn cael ei ystyried yn ymddygiad byrbwyll, ac mae byrbwylltra yn ddigon i ffurfio'r *mens rea* gofynnol.

Fotheringham (1989)

Roedd y diffynnydd wedi bod allan yn yfed. Ar ôl cyrraedd adref, aeth i mewn i wely lle roedd y warchodwraig plant 14 oed yn cysgu. Dechreuodd gael cyfathrach rywiol â hi gan gredu, mewn camgymeriad, mai hi oedd ei wraig. Ar apêl, cafodd ei euogfarn am dreisio ei chadarnhau. Mae treisio yn drosedd bwriad sylfaenol, ac felly doedd dim modd dibynnu ar ei gamgymeriad meddw i'w amddiffyn.

Meddwdod anwirfoddol

Mae hyn yn cynnwys sefyllfaoedd lle nad oedd y diffynnydd yn gwybod ei fod yn cymryd sylwedd meddwol, fel diodydd wedi'u sbeicio er enghraifft. Mae hefyd yn cynnwys sefyllfaoedd pan fydd cyffuriau presgripsiwn yn cael effaith annisgwyl ac yn gwneud y diffynnydd yn feddw.

Dywedwyd yn **R v Pearson (1835)** 'Os bydd unigolyn yn meddwi oherwydd twyll neu gynllun gan rywun arall, nid yw'n gyfrifol.' Felly, gall fod yn amddiffyniad ar gyfer troseddau bwriad sylfaenol a bwriad penodol.

R v Hardie (1984)

Rhoddodd y diffynnydd wardrob ar dân ar ôl cymryd ychydig o dabledi Valium oedd ar bresgripsiwn i'w gariad. Cymerodd y Valium gan ei fod yn teimlo dan straen, ar ôl i'w bartner ofyn iddo adael eu cartref. Cafodd ei gyhuddo o gynnau tân bwriadol.

Yn ei dreial, dywedodd nad oedd yn cofio dim am gynnau'r tân gan ei fod yn feddw – ond roedd yn derbyn mai ef oedd wedi ei gynnau yn ôl pob tebyg, gan nad oedd neb arall yn yr ystafell ar y pryd. Dywedodd barnwr y treial wrth y rheithgor, gan fod y diffynnydd wedi cymryd y Valium o'i wirfodd, na allai ei feddwdod fod yn amddiffyniad i'r drosedd.

Apeliodd Hardie yn llwyddiannus, ar y sail nad oedd wedi bod yn fyrbwyll. Barnodd y llys nad oedd ei weithredoedd yn yr achos hwn o anghenraid yn gyfystyr â meddwdod gwirfoddol. Dywedodd Parker L J:

'Mae Valium yn hollol wahanol i gyffuriau sy'n debygol o achosi ymddygiad anrhagweladwy neu ymosodol... os yw cyffur yn achosi cwsg neu'n tawelu yn unig, ni all y weithred o'i gymryd – hyd yn oed gormodedd ohono – godi rhagdybiaeth bendant yn yr ystyr arferol yn erbyn cyfaddef prawf o feddwdod er mwyn gwrthbrofi mens rea... Dylid bod wedi cyfeirio'r rheithgor fel hyn: os ydynt yn dod i'r casgliad nad oedd yr apelydd ar y pryd, o ganlyniad i'r Valium, yn sylweddoli'r perygl i eiddo a phobl yn sgil ei weithredoedd, yna dylent ystyried a oedd cymryd y Valium yn weithred fyrbwyll ynddi'i hun.'

Cymharwch achos *R v Hardie (1984)* ag *R v Allen (1988)*.

R v Allen (1988)

Roedd Allen wedi yfed ychydig o win cartref, a chafodd y gwin lawer mwy o effaith arno nag roedd wedi ei ragweld. Cyflawnodd sawl ymosodiad rhywiol, a honnodd ei fod mor feddw nes na wyddai beth roedd yn ei wneud. Dadleuodd nad oedd wedi ei roi ei hun yn y cyflwr hwnnw o'i wirfodd, gan fod y gwin yn llawer cryfach nag roedd wedi'i sylweddoli. Barnodd y llys bod y meddwdod yn wirfoddol, er na sylweddolodd pa mor gryf oedd y gwin. Mae trosedd ymosodiad rhyw yn drosedd bwriad sylfaenol, ac felly doedd yr apelydd ddim yn gallu dibynnu ar ei gyflwr meddw i negyddu'r mens rea.

Felly, dyma yw'r prawf: 'A oedd gan y diffynnydd y *mens rea* angenrheidiol pan gyflawnodd y drosedd?' Os yw'r ateb yn gadarnhaol, yna bydd y diffynnydd yn euog.

R v Kingston (1994)

Roedd cyffur wedi cael ei roi yng nghhoffi'r diffynnydd gan gwpl oedd yn anghytuno ag ef ynghylch materion busnes. Roedden nhw am ei flacmelio. Cafodd y diffynnydd ei wahodd i gam-drin bachgen 15 oed oedd hefyd wedi cael ei dwyllo gan y blacmelwyr. Cafodd y bachgen ei gamdrin gan y diffynnydd, a thynnodd y blacmelwyr ffotograffau ohono'n gwneud hyn. Cadarnhaodd Tŷ'r Arglwyddi ei euogfarn am ymosodiad rhyw, gan ddweud:

'Nid oes egwyddor yng nghyfraith Cymru a Lloegr sy'n caniatáu amddiffyniad ar sail meddwdod anwirfoddol, os bernir bod gan y diffynnydd y mens rea angenrheidiol ar gyfer y drosedd. Roedd yr erlyniad wedi sefydlu bod gan y diffynnydd y bwriad angenrheidiol ar gyfer y drosedd – mae bwriad meddw yn dal i fod yn fwriad.'

Camgymeriad meddw

Os bydd y diffynnydd yn gwneud camgymeriad oherwydd meddwdod, bydd yn dibynnu beth yw'r camgymeriad wrth geisio canfod a yw'r amddiffyniad ar gael. Os yw'r camgymeriad yn golygu nad oedd gan y diffynnydd y *mens rea* angenrheidiol ar gyfer y drosedd, mae ganddo amddiffyniad pan fydd y drosedd yn un bwriad penodol. Ond os yw'r drosedd yn un bwriad sylfaenol, does dim amddiffyniad, fel y gwelir yn *Lipman (1970)*.

R v Lipman (1970)

Roedd yr apelydd wedi cymryd ychydig o LSD. Roedd yn gweld rhithiau, ac yn credu bod nadroedd yn ymosod arno a'i fod yn mynd i lawr i ganol y ddaear. Pan oedd yn y cyflwr hwn, lladdodd ei gariad drwy wthio dillad gwely i'w cheg. Cadarnhaodd y llys fod modd defnyddio ei feddwdod i ddangos nad oedd ganddo'r mens rea ar gyfer llofruddiaeth, gan fod llofruddiaeth yn drosedd bwriad penodol. Ond doedd ei amddiffyniad ddim yn gallu bod yn amddiffyniad rhag dynladdiad, gan fod honno yn drosedd bwriad sylfaenol.

R v O'Grady (1987)

Roedd O'Grady yn alcoholig, ac roedd wedi treulio'r diwrnod yn yfed llawer o alcohol gyda dau ffrind. Yna aeth y ffrindiau i dŷ O'Grady i gysgu. Honnodd O'Grady iddo gael ei ddeffro gan un o'r ffrindiau yn ei daro ar ei ben. Dywedodd iddo godi darn o wydr wedi torri, a dechrau taro ei ffrind er mwyn ei amddiffyn ei hun. Dywedodd ei fod yn cofio ei daro ychydig o weithiau yn unig. Yn ôl O'Grady, daeth yr ymladd i ben ac aeth i goginio bwyd i'r ddau ohonyn nhw cyn mynd yn ôl i'r gwely. Yn y bore, daeth o hyd i'w ffrind yn farw. Achos y farwolaeth oedd colli gwaed: roedd ganddo 20 clwyf ar ei wyneb yn ogystal ag anafiadau i'w ddwylo, ac roedd wedi torri asen. Hefyd, roedd cleisiau difrifol ar ei ben, ei ymennydd, ei wddf a'i frest.

Cafodd O'Grady ei ddyfarnu'n euog o ddynladdiad. Gwrthodwyd ei apêl a chadarnhawyd yr euogfarn gan nad oes gan ddiffynnydd hawl i ddibynnu, yng nghyd-destun hunanamddiffyn, ar **camgymeriad yn y ffeithiau sydd wedi ei achosi gan feddwdod gwirfoddol.** *Dywedodd y barnwr:*

'Mae dau fudd yn cystadlu yn erbyn ei gilydd. Ar un llaw, mae budd y diffynnydd, sydd wedi gweithredu yn ôl yr hyn roedd yn ei gredu oedd yn angenrheidiol i'w amddiffyn ei hun yn unig. Ar y llaw arall, mae budd y cyhoedd yn gyffredinol a'r dioddefwr yn benodol sydd, mae'n debyg, heb fod bai arno ef ei hun, wedi cael ei anafu neu efallai ei ladd oherwydd camgymeriad meddw'r diffynnydd. Mae rheswm yn gwrthod y casgliad bod hawl gan y diffynnydd, o dan y fath amgylchiadau, i adael y llys heb ryw fath o niwed i'w enw da.'

Cafodd y dyfarniad yn *O'Grady* ei gadarnhau yn *R v Hatton (2005)*.

R v Hatton (2005)

Roedd y diffynnydd wedi yfed dros 20 peint o gwrw. Aeth ef a'r dioddefwr yn ôl i fflat Hatton. Yn y bore, daeth Hatton o hyd i'r dioddefwr yn farw gydag anafiadau wedi eu hachosi ar ôl iddo gael ei daro â gordd. Dywedodd Hatton nad oedd yn gallu cofio beth ddigwyddodd, ond roedd yn credu bod y dioddefwr wedi ceisio ymosod arno, a'i fod wedi amddiffyn ei hun. Cafodd ei ddyfarnu'n euog o lofruddiaeth. Cadarnhaodd y Llys Apêl ei euogfarn, gan ddweud nad oedd y penderfyniad yn **O'Grady** *wedi'i gyfyngu i droseddau bwriad sylfaenol, ond ei fod hefyd yn gymwys yn achos troseddau bwriad penodol. Ni ellir dibynnu ar gamgymeriad meddw diffynnydd at ddiben hunanamddiffyn.*

Problemau yn ymwneud ag amddiffyniad meddwdod

Y penderfyniad yn *DPP v Majewski (1977)* yw bod rhywun yn fyrbwyll, ac felly'n euog, os yw'n meddwi. Ond nid yw hyn yn cydsynio â'r egwyddor bod rhaid i *actus reus* a *mens rea* trosedd gyd-ddigwydd.

- Fel arfer, os yw byrbwylltra yn ddigonol ar gyfer y *mens rea*, mae'n rhaid i'r diffynnydd fod yn ymwybodol o'r perygl. Ond nid yw hyn yn wir yn achos meddwdod.
- Os oes yna drosedd lai, bydd y cyhuddiad yn cael ei leihau i drosedd bwriad sylfaenol, ond os nad oes trosedd lai yna bydd y diffynnydd yn osgoi atebolrwydd.

GWELLA GRADD

Ymchwiliwch i adroddiad Comisiwn y Gyfraith yn 2009, 'Intoxication and Criminal Liability', i weld yr argymhellion ar gyfer diwygio cyfraith meddwdod. Gwnewch yn siŵr eich bod yn gallu trafod y cynigion ar gyfer diwygio yn y maes hwn yn llawn, gan edrych yn ôl ar gynigion Pwyllgor Butler yn 1975 a chynigion Comisiwn y Gyfraith yn 1993 ac 1995.

Sgiliau Arholiad

Gallai amddiffyniad meddwdod ymddangos yn arholiadau CBAC U2 unedau 3 a 4.

Gwnewch yn siŵr eich bod yn gallu **dadansoddi** a **gwerthuso** amddiffyniad meddwdod, a'ch bod hefyd yn gallu **cymhwyso** rheolau ac egwyddorion cyfreithiol amddiffyniad meddwdod i senarios penodol.

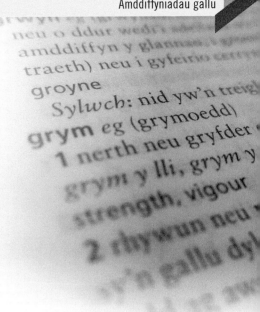

Amddiffyniadau troseddol: Amddiffyniadau rheidrwydd mewn perthynas â gorfodaeth a gorfodaeth amgylchiadau

Mae'r amddiffyniad hwn yn bodoli pan fydd y diffynnydd yn cael ei roi o dan bwysau mawr, naill ai i gyflawni trosedd neu wynebu marwolaeth neu anaf personol difrifol neu anaf difrifol i rywun arall y mae'n teimlo cyfrifoldeb amdano, a bod y diffynnydd felly mewn cyfyng-gyngor. Mae problem yma, gan fod y diffynnydd yn cyflawni'r *actus reus* ynghyd â'r *mens rea*, ond mae'r amddiffyniad yn ystyried yr amgylchiadau.

Gall gorfodaeth gael ei defnyddio fel amddiffyniad ar gyfer pob trosedd **ac eithrio** llofruddiaeth, dynladdiad a brad o bosibl.

Mae dau fath gwahanol o'r amddiffyniad hwn:

1. **Gorfodaeth drwy fygwth**: Mae hyn yn golygu bygwth y diffynnydd yn uniongyrchol i gyflawni trosedd neu, fel arall, wynebu marwolaeth neu anaf personol difrifol neu anaf difrifol i rywun arall.

2. **Gorfodaeth amgylchiadau**: Mae hyn yn golygu amgylchiadau allanol sydd yn fygythiad difrifol ym marn y diffynnydd.

ACHOSION ALLWEDDOL

DPP for Northern Ireland v Lynch (1975)

Penderfyniad gwreiddiol yr achos hwn oedd bod amddiffyniad gorfodaeth ar gael i ail barti ar gyhuddiad o lofruddiaeth. Roedd Meehan, aelod o grŵp terfysgol yr IRA, wedi gorchymyn y diffynnydd i yrru car. Doedd y diffynnydd ddim yn adnabod Meehan yn bersonol, ond roedd yn gwybod amdano, a gwyddai y byddai'n cael ei saethu os na fyddai'n ufuddhau. Daeth tri dyn arfog i mewn i'r car, a gyrrodd y diffynnydd nhw gan ddilyn eu cyfarwyddyd. Yna saethodd y tri dyn at blismon a'i ladd. Cafodd y diffynnydd ei ddyfarnu'n euog o lofruddiaeth, ar ôl i farnwr y treial benderfynu nad oedd modd defnyddio amddiffyniad gorfodaeth o dan yr amgylchiadau hyn. Gwrthododd y Llys Apêl yr apêl, ac apeliodd y diffynnydd at Dŷ'r Arglwyddi, lle cafodd yr apêl ei ganiatáu. Penderfynwyd bod amddiffyniad gorfodaeth ar gael i rywun sy'n cymryd rhan mewn llofruddiaeth, ond sydd ddim ei hun yn cyflawni'r weithred o ladd.

R v Howe and others (1986)

Fodd bynnag, yn yr achos hwn penderfynodd Tŷ'r Arglwyddi nad oedd amddiffyniad *DPP for Northern Ireland v Lynch (1975)* ar gael i bawb oedd wedi'i gyhuddo o lofruddiaeth. Nid oedd ar gael hyd yn oed i rywun oedd yn ail barti yn unig, heb fod yn gyfrifol yn bersonol am y weithred o ladd.

Roedd Howe a Bailey, 19 oed, a Bannister, 20 oed, wedi dilyn gorchmynion Murray, 35 oed. Roedd y cyhuddiadau yn ymwneud â dwy lofruddiaeth. Roedd y llofruddiaeth gyntaf yn ymwneud ag Elgar, 17 oed, oedd wedi cael ei arteithio. Roedd Howe a Bannister wedi cicio a tharo Elgar, a dywedwyd wrthyn nhw y byddai'r un peth yn digwydd iddyn nhw os na fydden nhw'n dilyn gorchmynion Murray. Mae'n bosibl y byddai Elgar wedi marw o'i anafiadau pe bai Bailey heb ei dagu i farwolaeth wedyn. Digwyddodd yr ail lofruddiaeth y noson ganlynol yn yr un lle, pan roddodd Murray orchymyn i Howe a Bannister dagu dyn 19 oed i farwolaeth; ufuddhaodd y ddau. Gan gadarnhau eu heuogfarnau am lofruddiaeth, dywedodd Tŷ'r Arglwyddi nad oedd amddiffyniad gorfodaeth ar gael mewn achosion o lofruddiaeth, naill ai i'r prif droseddwr na'r troseddwr eilaidd.

R v Gotts (1992)

Cafodd bachgen 16 oed ei orchymyn gan ei dad i ladd ei fam. Fel arall, byddai ei dad yn ei ladd yntau. Trywanodd y bachgen ei fam, gan achosi anafiadau difrifol, ond llwyddodd hithau i fyw. Cafodd ei gyhuddo o ymgais i lofruddio, a phenderfynodd barnwr y treial nad oedd amddiffyniad gorfodaeth ar gael iddo. Plediodd yn euog ac yna apeliodd yn erbyn penderfyniad y barnwr. Gwrthodwyd ei apêl, a chadarnhawyd ei euogfarn. Barnodd Tŷ'r Arglwyddi nad oedd amddiffyniad gorfodaeth ar gael mewn achosion o ymgais i lofruddio. Dywedodd yr Arglwydd Griffiths:

'Rydym yn wynebu cynnydd cyson mewn trais a therfysgaeth. Rhaid i'r gyfraith sefyll yn gadarn yn erbyn hyn, gan gydnabod mai ei dyletswydd pennaf yw amddiffyn rhyddid a bywydau'r rhai sy'n byw oddi tani. Mae prawf o'r bwriad o ladd yn ofynnol mewn achosion o ymgais i lofruddio, ond mewn achosion o lofruddiaeth mae'n ddigon i brofi bwriad o achosi anaf difrifol iawn. Ni all fod yn iawn caniatáu'r amddiffyniad i rywun a all fod yn fwy penderfynol o ddwyn bywyd na'r llofruddiwr.'

1. Gorfodaeth drwy fygwth

Mae'n rhaid i lysoedd ystyried difrifoldeb y niwed gafodd ei fygwth i'r cyhuddedig, yn ogystal ag ymddygiad troseddol y cyhuddedig.

Wrth benderfynu a ddylai'r amddiffyniad lwyddo, mae'n rhaid i'r rheithgor ystyried **prawf dau gam** gafodd ei osod yn *R v Graham (1982)* a'i gymeradwyo yn *R v Howe (1987)*:

- **Prawf goddrychol**: A oedd y diffynnydd yn teimlo bod rhaid iddo weithredu fel y gwnaeth oherwydd bod ganddo sail resymol dros gredu y byddai'n cael ei ladd, neu'n cael anaf personol difrifol?

- **Prawf gwrthrychol**: A fyddai unigolyn sobr, o bendantrwydd rhesymol ac â'r un nodweddion â'r diffynnydd, yn ymateb fel gwnaeth y diffynnydd?

R v Graham (1982)

Roedd y diffynnydd yn byw mewn fflat gyda'i wraig, Mrs Graham (y ddioddefwraig), a'i gariad hoyw, King. Roedd y diffynnydd yn dioddef pyliau o orbryder, ac roedd wedi cael Valium ar bresgripsiwn oherwydd hyn. Roedd King yn unigolyn treisgar, ac roedd yn codi ofn ar y diffynnydd a'i wraig. Roedd wedi ymddwyn yn dreisgar yn eu herbyn. Ar un achlysur, ymosododd King ar Mrs Graham â chyllell, ceisiodd y diffynnydd ei atal, a chafodd anafiadau ar ei ddwylo. O ganlyniad i'r ymosodiad, aeth Mrs Graham i aros gyda mam y diffynnydd. Dechreuodd King a'r diffynnydd yfed yn drwm a chymerodd y diffynnydd lawer o Valium hefyd. Yna dywedodd King wrth y diffynnydd ei bod yn amser i gael gwared ar Mrs Graham unwaith ac am byth. Aeth y ddau ati i feddwl am gynllun. Ffoniodd y diffynnydd Mrs Graham, gan ddweud wrthi ei fod wedi torri ei arddyrnau ac y dylai hi ddod draw ar unwaith. Pan gyrhaeddodd, tagodd King hi â weiren. Helpodd y diffynnydd drwy ddal gafael yn y weiren. Yna helpodd ef King i gael gwared ar y corff. Plediodd King yn euog i lofruddiaeth, a chafodd ei ddedfrydu. Defnyddiodd y diffynnydd amddiffyniadau gorfodaeth a meddwdod. Mewn perthynas â gorfodaeth, defnyddiodd y diffynnydd ddadl wedi ei chefnogi gan dystiolaeth feddygol, gan hawlio y byddai ei orbryder a'r ffaith ei fod wedi cymryd Valium wedi ei wneud yn fwy agored i fygythiadau. Cafodd ei ddyfarnu'n euog beth bynnag. Ar apêl, cafodd ei euogfarn ei chadarnhau, ar y sail na ddylid ystyried y ffaith bod ewyllys diffynnydd i wrthsefyll y bygwth wedi cael ei leihau drwy gymryd diod neu gyffuriau, neu'r ddau, o'i wirfodd.

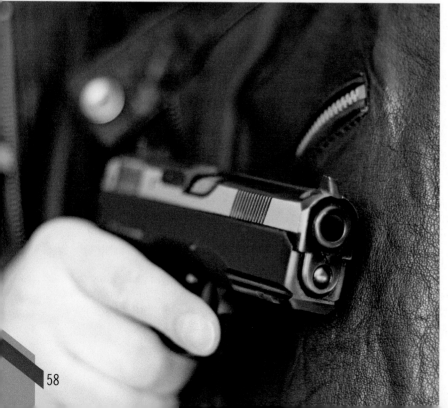

Rhaid ei fod yn fygythiad o farwolaeth neu anaf difrifol. Gall y llysoedd ystyried bod effaith bygythiadau yn cronni dros amser, fel yn *R v Valderrama-Vega (1985)*.

R v Valderrama-Vega (1985)

Roedd y diffynnydd wedi'i ddyfarnu'n euog o fewnforio cyffuriau. Roedd wedi gwneud hyn gan fod rhywun wedi bygwth defnyddio trais difrifol yn ei erbyn ef a'i deulu pe bai'n gwrthod cydymffurfio. Roedd rhywun hefyd wedi bygwth datgelu ei weithgareddau cyfunrywiol i'w wraig. Cafodd wobrau ariannol hefyd am fewnforio'r cyffuriau. Gwrthododd barnwr y treial ganiatáu i amddiffyniad gorfodaeth gael ei gyflwyno gerbron y rheithgor. Apeliodd y diffynnydd yn erbyn ei euogfarn. Cafodd yr apêl ei ganiatáu. Ni fyddai bygythiadau i ddatgelu'r ffaith ei fod yn gyfunrywiol yn ddigonol i gefnogi amddiffyniad gorfodaeth. Ond gellid eu hystyried nhw law yn llaw â bygythiadau o drais personol difrifol, fel yn yr achos hwn.

Rhaid ei fod yn fygythiad na ellir ei osgoi

- Yn *R v Gill (1963)*, roedd y diffynnydd wedi cael cyfle i roi gwybod i'r heddlu rhwng y bygwth ac adeg cyflawni'r drosedd. Felly ni allai ddefnyddio'r amddiffyniad.
- Yn *R v Hudson and Taylor (1971)*, cafodd yr amddiffyniad ei ganiatáu gan fod y bygythiad yn dal i fod yn weithredol pan oedd y diffynyddion yn rhoi tystiolaeth yn y llys. Roedden nhw'n credu y gallai'r ymosodiad ddigwydd ar unwaith.
- Roedd *R v Hasan (2005)* yn datgan y gyfraith bresennol, sy'n cymryd agwedd fwy llym, fel yn *Gill*. Ymunodd y diffynnydd â gang troseddol. Ni allai ddefnyddio'r amddiffyniad pan gafodd ei fygwth – dylai fod wedi sylweddoli y gallai ddigwydd.

Rhaid i'r bygythiad fod yn weithredol ar adeg cyflawni'r drosedd

R v Abdul-Hussain (1999)

Roedd y diffynyddion yn Fwslimiaid Shi'ite oedd wedi ffoi o Iraq i Sudan oherwydd y perygl o gael eu cosbi a'u dienyddio ar sail eu crefydd. Roedden nhw'n ofni cael eu hanfon yn ôl i Iraq, felly fe wnaethon nhw herwgipio awyren a laniodd yn y DU. Cafodd y diffynyddion eu cyhuddo o herwgipio, a phlediodd y ddau amddiffyniad gorfodaeth. Barnodd barnwr y treial nad oedd yn bosibl defnyddio'r amddiffyniad hwn gan nad oedd y perygl yn ddigon agos nac yn digwydd ar y pryd, felly cawson nhw eu dyfarnu'n euog. Cafodd yr euogfarnau eu dileu yn y Llys Apêl, ar y sail nad oes rhaid i'r bygythiad fod yn weithredol ar y pryd, ond bod rhaid iddo fod ar fin digwydd yn yr ystyr ei fod yn 'crogi uwch eu pennau'.

2. Gorfodaeth amgylchiadau

Cafodd yr amddiffyniad hwn ei gydnabod am y tro cyntaf yn *R v Willer (1986)*, a'i gadarnhau yn *R v Conway (1988)*.

R v Willer (1986)

Cafodd car y diffynnydd ei amgylchynu gan gang o bobl ifanc a wnaeth ei fygwth. Gyrrodd ar hyd y palmant gan mai dyna'r unig ffordd o ddianc, ond cafodd ei ddyfarnu'n euog o yrru'n fyrbwyll. Cafodd gorfodaeth amgylchiadau ei ganiatáu gan y Llys Apêl.

R v Conway (1988)

Rhedodd dau ddyn at gar y diffynnydd. Roedd rhywun wedi saethu at deithiwr y diffynnydd rai wythnosau ynghynt, felly roedd yn ystyried y ddau ddyn yn fygythiad. Gyrrodd i ffwrdd, a chafodd ei gyhuddo o yrru'n fyrbwyll. Llwyddodd ei apêl, a chafodd gorfodaeth amgylchiadau ei ganiatáu fel amddiffyniad.

Yn *R v Martin (1989)*, dywedodd y llys fod y prawf dau gam am orfodaeth drwy fygwth yn *R v Graham (1982)* hefyd yn gymwys i orfodaeth amgylchiadau.

R v Martin (1989)

Roedd y diffynnydd wedi gyrru er cael ei wahardd rhag gyrru. Honnodd iddo wneud hyn ar ôl i'w wraig fygwth lladd ei hun oni bai ei fod yn gyrru eu mab i'r gwaith. Roedd hi wedi ceisio lladd ei hun yn y gorffennol, ac roedd y mab yn hwyr i'r gwaith. Ofnai hi y byddai'n colli ei swydd oni bai fod ei gŵr yn mynd ag ef. Plediodd Martin yn euog i yrru dan waharddiad, ar ôl i farnwr y treial benderfynu nad oedd amddiffyniad gorfodaeth amgylchiadau ar gael iddo. Ar apêl, dilëwyd ei euogfarn, gan y dylai amddiffyniad gorfodaeth amgylchiadau fod wedi bod ar gael iddo. Doedd dim ots bod y bygythiad o farwolaeth yn deillio o hunanladdiad yn hytrach na llofruddiaeth.

Yn *R v Pommell (1995)*, penderfynodd y llys bod yr amddiffyniad ar gael ar gyfer pob trosedd ac eithrio llofruddiaeth, dynladdiad a brad. Yn *R v Cairns (1999)*, roedd y diffynnydd wedi bod yn gyrru car. Cafodd ei amgylchynu gan gang o bobl ifanc, a neidiodd un ohonyn nhw ar y bonet. Roedd y diffynnydd yn teimlo dan fygythiad, felly gyrrodd ymaith ac anafwyd y dyn ar y bonet. Wrth sefydlu amddiffyniad gorfodaeth amgylchiadau, dywedodd y llys mai'r unig beth roedd angen i'r diffynnydd ei ddangos oedd teimlad rhesymol a gwirioneddol bod yna fygythiad o anaf corfforol difrifol – nid bod y bygythiad yn un gwirioneddol, o anghenraid.

Problemau yn ymwneud â gorfodaeth

- Nid yw'r amddiffyniad hwn ar gael ar gyfer llofruddiaeth. Ond mae rhai sefyllfaoedd lle gallai fod yn angenrheidiol ac yn annheg i beidio â'i ganiatáu.
- Mae *R v Hasan (2005)* wedi cyfyngu ar yr amgylchiadau lle gellir defnyddio'r amddiffyniad, gan olygu efallai nad yw ar gael i'r rhai sydd ei angen.
- Nid yw sgôr IQ isel diffynnydd yn cael ei ystyried gan y llys, yn dilyn *R v Bowen (1996)*.
- Mae *R v Hudson and Taylor (1971)* yn dangos, hyd yn oed os yw'r diffynnydd wedi'i amgylchynu gan warchodaeth yr heddlu, nad yw hynny o reidrwydd yn fwy pwerus na'r bygythiad.

Amddiffyniadau troseddol: Hunanamddiffyniad

Mae'r amddiffyniad hwn yn cwmpasu camau sy'n cael eu cymryd i amddiffyn rhywun arall, yn ogystal â'r camau mae angen i rywun eu cymryd i amddiffyn ei hun rhag ymosodiad. Mae amddiffyniadau 'hunanamddiffyn' ac 'amddiffyn rhywun arall' yn amddiffyniadau cyfraith gyffredin; mae amddiffyniad statudol ar gael hefyd.

Adran 3 Deddf Cyfraith Trosedd 1967: Amddiffyniad statudol

'*Gall rhywun ddefnyddio unrhyw rym sy'n rhesymol dan yr amgylchiadau i atal trosedd, neu er mwyn cynorthwyo mewn ffordd gyfreithlon i arestio troseddwyr neu'r rhai sy'n cael eu hamau o fod yn droseddwyr, neu unigolion sy'n rhydd yn anghyfreithlon.*'

Mae'r grym y gellir ei ddefnyddio ar gyfer hunanamddiffyn, amddiffyn rhywun arall neu atal trosedd wedi'i nodi yn *a76 Deddf Cyfiawnder Troseddol a Mewnfudo 2008*.

Dyma rai o'r ffactorau sy'n cael eu hystyried wrth benderfynu a yw'r grym a ddefnyddiwyd yn rhesymol dan yr amgylchiadau:

- efallai na fydd unigolyn sy'n gweithredu at ddiben dilys yn gallu penderfynu'n fanwl pa gamau yn union sy'n angenrheidiol; ac
- os oes tystiolaeth bod rhywun wedi gwneud yr hyn roedd yn ei ystyried, yn onest ac yn reddfol, yn angenrheidiol at ddiben dilys yn unig, mae hynny'n dystiolaeth gref mai camau rhesymol yn unig a gymerodd yr unigolyn at y diben hwnnw.

Mae *Adran 76* yn ystyried y ffaith bod unigolyn sy'n wynebu ymosodiad yn mynd i fod dan straen, ac nad oes disgwyl iddo allu cyfrifo faint yn union o rym sydd ei angen dan yr amgylchiadau. Os oes tystiolaeth bod yr unigolyn yn credu 'yn onest ac yn reddfol' bod lefel y grym yn rhesymol i amddiffyn ei hun neu rywun arall, neu i atal trosedd, mae hynny'n dystiolaeth gref bod y camau a gymerwyd yn rhesymol dan yr amgylchiadau.

Ond os cafodd y grym ei ddefnyddio ar ôl i'r perygl ddod i ben (e.e. i ddial neu i dalu'r pwyth yn ôl), nid yw'r amddiffyniad hwn ar gael.

Hussain and another (2010)
Torrodd rhywun i mewn i dŷ'r diffynnydd, a chafodd ef a'i deulu eu bygwth gan ddynion arfog. Llwyddodd y diffynnydd ac un o'i feibion i ddianc, a rhedeg ar ôl y dynion arfog wrth iddyn nhw adael y tŷ. Dalion nhw un o'r dynion a'i guro. Cadarnhaodd y llys na allen nhw ddefnyddio amddiffyniad hunanamddiffyn, gan fod perygl yr ymosodiad gwreiddiol arnyn nhw wedi dod i ben.

Achosion deiliaid tŷ

Mae *Adran 43 Deddf Troseddu a'r Llysoedd 2013* wedi diwygio *a76 Deddf Cyfiawnder Troseddol a Mewnfudo 2008* i ddarparu amddiffyniad mwy eang i ddeiliaid tai pan fydd rhywun yn torri i mewn i'w heiddo. Mewn achosion o'r fath, bydd lefel y grym a ddefnyddiwyd yn cael ei ystyried yn afresymol **dim ond** os oedd y defnydd ohono yn 'gwbl anghymesur'.

Er mwyn bod yn achos deiliaid tŷ:

- rhaid i'r grym gael ei ddefnyddio gan y diffynnydd mewn adeilad sy'n annedd, neu'n rhannol yn yr adeilad
- rhaid i'r diffynnydd beidio â bod yn dresmaswr
- rhaid bod y diffynnydd wedi credu bod y dioddefwr yn dresmaswr.

Hunanamddiffyniad a grym gormodol

Rhaid i lefel y grym a ddefnyddir gan rywun i'w amddiffyn ei hun neu rywun arall fod yn rhesymol. Os yw'r grym a ddefnyddir yn ormodol, bydd yr amddiffyniad yn methu.

R v Clegg (1995)
Roedd Clegg yn filwr ar ddyletswydd yng Ngogledd Iwerddon. Daeth car tuag ato yn gyflym, â'r goleuadau yn disgleirio, pan oedd yn gwarchod safle rheoli ar y ffordd. Gwaeddodd un o'r milwyr oedd gyda Clegg ar y car i stopio, ond daliodd i fynd. Saethodd Clegg at y car dair gwaith, ac unwaith eto wrth i'r car fynd heibio iddo. Cafodd teithiwr yng nghefn y car ei saethu'n farw gan y bedwaredd ergyd. Doedd Clegg ddim yn gallu defnyddio hunanamddiffyn fel amddiffyniad, oherwydd roedd y dystiolaeth yn dangos bod y car wedi mynd heibio iddo erbyn iddo danio'r ergyd olaf. Felly doedd dim perygl pan daniodd yr ergyd. Cafodd y grym ei ystyried yn ormodol, a chadarnhawyd ei euogfarn am lofruddiaeth. Yn 1999, anfonwyd achos Clegg yn ôl at y Llys Apêl gan y Comisiwn Adolygu Achosion Troseddol. Cafodd ei euogfarn ei dileu, gan fod tystiolaeth newydd wedi codi amheuon ai Clegg wnaeth saethu'r ergyd farwol mewn gwirionedd.

R v Martin (Anthony) (2002)
Saethodd Martin at ddau leidr oedd wedi torri i mewn i'w ffermdy anghysbell, gan ladd un ohonyn nhw. Dangosodd y dystiolaeth fod y lladron yn gadael pan saethodd Martin atyn nhw, a bod yr un a fu farw wedi cael ei saethu yn ei gefn. Cafodd Martin ei ddyfarnu'n euog o lofruddiaeth. Apeliodd yn erbyn y penderfyniad, gan ddadlau y dylai fod wedi cael defnyddio amddiffyniad hunanamddiffyn gan ei fod yn dioddef o anhwylder personoliaeth paranoid. Roedd hwn wedi gwneud iddo feddwl ei fod mewn sefyllfa beryglus iawn. Gwrthododd y Llys Apêl ei apêl, gan farnu na ellid ystyried anhwylderau personoliaeth wrth ystyried amddiffyniad hunanamddiffyn. Ond cafodd ei euogfarn ei lleihau i ddynladdiad yn ddiweddarach, ar sail cyfrifoldeb lleihaedig.

Perthnasedd nodweddion y diffynnydd

Fel y gwelwyd yn *R v Martin (2002)*, gwrthododd y Llys Apêl ei apêl, gan farnu nad oedd modd ystyried anhwylderau personoliaeth wrth ystyried amddiffyniad hunanamddiffyn.

Dilynwyd y penderfyniad hwn yn *R v Cairns (2005)*. Wrth benderfynu a oedd y diffynnydd wedi defnyddio grym rhesymol i amddiffyn ei hun, cadarnhaodd y llys nad oedd yn briodol ystyried a oedd y diffynnydd yn dioddef o gyflwr seiciatrig.

Cafodd y gyfraith yn *R v Martin (2002)* ac *R v Cairns (2005)* ei chadarnhau yn *R v Oye (2013*, gweler tudalen 49).

Defnyddio grym mewn camgymeriad wrth hunanamddiffyn

Yn *R v Williams (Gladstone) (1987)*, rhaid bod y diffynnydd wedi credu rhywbeth mewn camgymeriad 'gwirioneddol', a allai fod yn rhesymol neu beidio.

R v Williams (Gladstone) (1987)
Roedd y diffynnydd wedi bod yn dyst i bobl yn edrych fel pe baen nhw'n ymladd â'i gilydd. Ceisiodd ymyrryd, gan ddweud ei fod yn blismon, a cheisiodd arestio un ohonyn nhw. Mewn gwirionedd, roedd un o'r bobl newydd geisio mygio menyw, ac roedd y llall yn ceisio ei arestio. Cafodd y diffynnydd ei erlyn am ymosod ar y dioddefwr. Ond dywedwyd wrth y rheithgor y gallai ddefnyddio amddiffyniad 'hunanamddiffyn drwy ddefnyddio grym mewn camgymeriad' dim ond os oedd hynny'n rhesymol. Ar apêl, dywedodd y llys y dylai'r rheithgor fod wedi cael gwybod, os oedden nhw'n credu bod hwn yn gamgymeriad go iawn, y dylen nhw benderfynu'r achos ar y sail honno, a bod Williams yn gallu defnyddio'r amddiffyniad ei fod yn amddiffyn eraill.

GWELLA GRADD

Ewch i wefan Gwasanaeth Erlyn y Goron (CPS: *Crown Prosecution Service*) (www.cps.gov.uk) a darllenwch bapur y Gwasanaeth 'Self-defence and the Prevention of Crime' (2011). Beth oedd canfyddiadau'r papur hwn?

Sgiliau Arholiad

Gallai'r amddiffyniadau hyn ymddangos yn arholiadau CBAC Safon Uwch U2 unedau 3 a 4.

Gwnewch yn siŵr eich bod yn gallu **dadansoddi** a **gwerthuso** yr holl amddiffyniadau cyfraith trosedd, a'ch bod hefyd yn gallu **cymhwyso** rheolau ac egwyddorion cyfreithiol y gwahanol amddiffyniadau i senarios penodol.

Crynodeb: Amddiffyniadau gallu

Gorffwylledd ac awtomatiaeth

▶ **Diffiniad:** *M'Naghten (1843)*:
- rheswm diffygiol
- afiechyd meddwl
- heb wybod natur ac ansawdd y weithred, neu heb wybod eu bod yn gwneud rhywbeth sy'n anghywir

▶ Gorgyffwrdd rhwng gorffwylledd ac awtomatiaeth

▶ Yn achos **gorffwylledd**, rhaid i'r amddiffyniad brofi, yn ôl pwysau tebygolrwydd, bod gan y diffynnydd reswm diffygiol oherwydd afiechyd meddwl
- Rheithfarn ddieuog ar sail gorffwylledd
- Gall y barnwr roi un o bedwar gorchymyn

▶ Yn achos **awtomatiaeth**, rhaid i'r diffynnydd ddefnyddio'r amddiffyniad a rhaid i'r erlyniad ei wrthbrofi:
- Rhaid iddo gael ei achosi gan ffactor allanol
- Os yw'n ddieuog, yna mae'r diffynnydd yn rhydd (yn wahanol i orffwylledd)

Meddwdod

▶ Troseddau bwriad penodol: **Meddwdod gwirfoddol**:
- Os oes gan y diffynnydd *mens rea*, mae'n euog: *R v Gallagher (1963)*
- Os nad oes gan y diffynnydd *mens rea*, mae'n ddieuog

▶ Troseddau bwriad penodol: **Meddwdod anwirfoddol**:
- Os oes gan y diffynnydd *mens rea*, mae'n euog: *R v Kingston (1994)*
- Os nad oes gan y diffynnydd *mens rea*, mae'n ddieuog: *R v Hardie (1984)*

▶ Troseddau bwriad penodol: **Camgymeriad meddw**:
- Os yw'r camgymeriad yn negyddu *mens rea*, mae'r diffynnydd yn ddieuog.
- Os yw'r camgymeriad yn ymwneud â'r angen i'w amddiffyn ei hun, nid yw'n amddiffyniad, a bydd y diffynnydd yn euog yn achos troseddau bwriad penodol a sylfaenol: *R v O'Grady (1987)*, *R v Hatton (2005)*

▶ Troseddau bwriad sylfaenol: **Meddwdod gwirfoddol**:
- Mae'r diffynnydd yn euog gan fod meddwi yn ymddygiad byrbwyll: *R v Majewski (1977)*

▶ Troseddau bwriad sylfaenol: **Meddwdod anwirfoddol**:
- Mae'r diffynnydd yn ddieuog gan nad yw wedi bod yn fyrbwyll: *Hardie (1984)*

▶ Troseddau bwriad sylfaenol: **Camgymeriad meddw**:
- Mae'r diffynnydd yn euog gan fod hyn yn ymddygiad byrbwyll

Gorfodaeth

▶ Gall fod drwy fygythiadau neu amgylchiadau

▶ Ar gael ar gyfer pob trosedd ac eithrio llofruddiaeth (*R v Howe (1987)*) ac ymgais i lofruddio (*R v Gotts (1992)*)

▶ Rhaid i'r bygythiad fod yn ddifrifol (marwolaeth neu anaf difrifol), ond gellir ystyried effaith bygythiadau eraill dros amser yn achos bygwth anafu: *R v Valderrama-Vega (1985)*

▶ Dau brawf: **gwrthrychol** a **goddrychol**: *R v Graham (1982)*

▶ Does dim rhaid i'r bygythiad fod yn weithredol ar y pryd, ond rhaid iddo fod yn **anochel**

▶ Nid yw gorfodaeth ar gael mewn achosion:

- lle mae'r diffynnydd yn ymuno â gang troseddol gan wybod ei fod yn gang treisgar: *R v Sharp (1987)*, *R v Hasan (2005)*

- lle mae'r diffynnydd yn ei roi ei hun mewn sefyllfa lle roedd yn rhagweld, neu y dylai fod wedi rhagweld, bod perygl o gael ei orfodi i wneud rhywbeth

Troseddau ymgais rhagarweiniol

Adran y fanyleb	Cynnwys Allweddol	Amcanion Asesu	Ble mae'r pwnc hwn yn ymddangos yn y fanyleb/arholiad?
CBAC Safon Uwch 3.17: Troseddau ymgais rhagarweiniol	• Diffiniad statudol: *mens rea* ac *actus reus*; ystyr 'mwy na rhagbaratoi yn unig' • Ymgais i gyflawni'r amhosibl	**AA1** Dangos gwybodaeth a dealltwriaeth o reolau ac egwyddorion cyfreithiol **AA2** Cymhwyso rheolau ac egwyddorion cyfreithiol at senarios penodol er mwyn cyflwyno dadl gyfreithiol gan ddefnyddio terminoleg gyfreithiol briodol **AA3** Dadansoddi a gwerthuso rheolau, egwyddorion, cysyniadau a materion cyfreithiol	**CBAC Safon Uwch:** Uned 3; Adran C. Uned 4; Adran C

Troseddau ymgais rhagarweiniol

Ymgais yw pan fydd rhywun yn ceisio cyflawni trosedd, ond yn methu ei chwblhau am ryw reswm. Diffinnir 'ymgais' yn *a1 Deddf Ymgeisiau Troseddol 1981*:

'os bydd gan rywun fwriad i gyflawni trosedd y mae'r adran hon yn gymwys iddi, a'i fod yn cyflawni gweithred sy'n fwy na rhagbaratoi yn unig ar gyfer cyflawni'r drosedd, yna mae'n euog o gyflawni'r drosedd.'

Dyma *actus reus* y drosedd: mae rhywun yn cyflawni gweithred sy'n fwy na rhagbaratoi yn unig ar gyfer cyflawni trosedd.

Dyma'r *mens rea*: gyda bwriad o gyflawni'r drosedd honno.

Actus reus ymgais

Cyn y diffiniad o *Ddeddf Ymgeisiau Troseddol 1981*, daeth dau brif brawf gan y llysoedd:

• **Prawf y weithred olaf**: A oedd y diffynnydd wedi gwneud y weithred olaf y gallai ei gwneud cyn cyflawni'r drosedd?

• **Prawf agosrwydd**: A oedd gweithredoedd y diffynnydd 'mor uniongyrchol gysylltiedig' ag *actus reus* y drosedd nes cyfiawnhau atebolrwydd am ymgais?

Erbyn hyn mae'r llysoedd wedi penderfynu bod y profion cyfraith gyffredin hyn yn amherthnasol. Y peth pwysig yw gofyn a yw'r diffynnydd wedi cyflawni gweithred sy'n 'fwy na rhagbaratoi yn unig'.

Mwy na rhagbaratoi yn unig

Rhaid i'r weithred fod yn fwy na rhagbaratoi yn unig ar gyfer y brif drosedd. Mae sawl achos wedi bod yn trafod ystyr 'rhagbaratoi yn unig', ond does dim un egwyddor glir wedi deillio o'r rhain.

Attorney General's Reference (No 1 of 1992) (1993)

Llusgodd y diffynnydd ferch i sied gyda'r bwriad o'i threisio. Tynnodd ei drowsus i lawr ac ymosododd ar y ferch, ond ni wnaeth ei threisio. Cadarnhawyd ei euogfarn am ymgais i dreisio. Barnwyd nad oedd rhaid i'r diffynnydd fod wedi perfformio'r weithred olaf cyn y drosedd go iawn, a doedd dim rhaid iddo gyrraedd 'y pwynt di-droi'n ôl' chwaith.

R v Gullefer (1987)

Neidiodd y diffynnydd ar drac rasio milgwn (greyhounds), i geisio rhwystro ras a gwneud iddi gael ei datgan yn annilys. Roedd hyn er mwyn iddo allu hawlio'r arian roedd wedi ei fetio yn ôl. Cafodd ei euogfarn am geisio dwyn ei dileu, gan fod ei weithred yn rhagbaratoi yn unig i gyflawni'r drosedd. Nid oedd wedi 'dechrau cyflawni'r drosedd go iawn'.

R v Geddes (1996)

Roedd y diffynnydd wedi cael ei ganfod yn nhoiledau'r bechgyn mewn ysgol gyda chyllell fawr, darn o raff a thâp masgio yn ei feddiant. Doedd ganddo ddim hawl i fod yn yr ysgol. Nid oedd wedi siarad gyda'r disgyblion, nac wedi cysylltu â nhw.

Gofynnodd y Llys Apêl ddau gwestiwn:

1. A oedd y cyhuddedig wedi symud o fod yn cynllunio neu baratoi, tuag at gyflawni neu weithredu?

2. A oedd y cyhuddedig wedi cyflawni gweithred oedd yn dangos ei fod yn ceisio cyflawni'r drosedd lawn mewn gwirionedd, neu ai dim ond wedi paratoi, neu ei roi ei hun mewn sefyllfa, neu ymbaratoi ar gyfer gwneud hynny yr oedd?

Cafodd euogfarn Geddes am ymgais i gamgarcharu ei dileu ar apêl.

R v Campbell (1990)

Roedd y diffynnydd y tu allan i swyddfa bost yn cario gwn ffug, yn gwisgo sbectol haul, a llythyr bygythiol yn ei boced. Cafodd ei euogfarn am ymgais i ladrata ei dileu ar apêl.

Mynd y tu hwnt i 'mwy na rhagbaratoi yn unig'

Mae'r achosion canlynol yn dangos lle mae diffynnydd wedi mynd y tu hwnt i'r diffiniad o 'mwy na rhagbaratoi yn unig'.

R v Boyle and Boyle (1987)

Gwelwyd y diffynyddion yn sefyll y drws nesaf i ddrws, gyda chlo a cholfach (hinge) wedi'u torri. Cafodd eu heuogfarn am ymgais i fwrglera ei chadarnhau. Roedd ceisio cael mynediad yn cyfrif fel ymgais, ac roedden nhw ar fin dechrau ar y drosedd go iawn.

R v Tosti (1987)

Roedd y diffynnydd yn bwriadu bwrglera o eiddo. Aeth ag offer torri metel gydag ef a'i guddio y tu ôl i glawdd cyfagos. Yna roedd wedi archwilio'r clo ar y drws, ond nid oedd wedi gwneud difrod i'r clo. Cafwyd ef yn euog o ymgais i fwrglera.

R v Jones (1990)

Roedd partner y diffynnydd wedi dweud wrtho ei bod hi eisiau dod â'u perthynas i ben, gan ei bod hi'n gweld rhywun arall (y dioddefwr). Prynodd y diffynnydd wn, aeth i mewn i gar y dioddefwr yn gwisgo helmed galed oedd yn cuddio ei wyneb, a phwyntiodd y gwn at y dioddefwr. Gafaelodd y dioddefwr yn y gwn a'i daflu drwy'r ffenestr. Cadarnhawyd euogfarn y diffynnydd am ymgais i lofruddio.

Mens rea ymgais

Fel arfer, rhaid i'r diffynnydd gael yr un bwriad ag a fyddai'n ofynnol ar gyfer y drosedd lawn. Os nad yw'r erlyniad yn gallu profi'r bwriad hwnnw, yna nid yw'r diffynnydd yn euog o ymgais.

R v Easom (1971)

Cododd y diffynnydd fag mewn sinema, edrych drwyddo a'i roi yn ôl heb gymryd dim. Doedd dim tystiolaeth bod y diffynnydd wedi bwriadu 'amddifadu'n barhaol', ac felly ni allai fod yn euog o ymgais i ladrata.

R v Husseyn (1977)

Gwelwyd y diffynnydd a dyn arall yn sefyllian wrth ymyl cefn fan. Pan ddaeth yr heddlu atyn nhw, rhedon nhw i ffwrdd. Cafwyd y diffynnydd yn euog o geisio dwyn offer o'r fan. Cafodd ei apêl ei dileu gan y Llys Apêl.

Ond gweler **Attorney General's Reference (Nos 1 and 2 of 1979)**, lle penderfynodd y Llys Apêl y gellid cyhuddo diffynnydd o ymgais i ladrata os oedd ganddo fwriad amodol (hynny yw, roedd yn bwriadu dwyn pe bai unrhyw beth gwerth ei ddwyn yno).

Mens rea ymgais i lofruddio

Ar gyfer ymgais i lofruddio, rhaid i'r erlyniad brofi bwriad o ladd (nid yw achosi niwed corfforol difrifol yn ddigonol ar gyfer ymgais i lofruddio: rhaid profi bwriad o ladd). Dangosir hyn yn **R v Whybrow (1951)**, lle roedd y diffynnydd wedi weirio bath ei wraig, gan achosi iddi gael sioc drydanol. Cafwyd ef yn euog o ymgais i lofruddio.

A yw byrbwylltra yn ddigon i fodloni *mens rea* ymgais?

R v Millard and Vernon (1987)

Roedd y dynion wedi gwthio sawl gwaith yn erbyn ffens ar stand maes pêl-droed. Dywedodd yr erlyniad eu bod yn ceisio ei dorri, a chawson nhw eu dedfrydu'n euog o ddifrod troseddol. Ond cafodd yr euogfarnau eu dileu gan y Llys Apêl. Barnwyd nad yw byrbwylltra yn ddigon i fodloni mens rea ymgais i achosi difrod troseddol.

Attorney General's Reference (No 3 of 1992) (1994)

*Taflodd y diffynnydd fom petrol at gar pan oedd pedwar dyn y tu mewn iddo. Methodd y bom, gan daro wal heb achosi niwed. Cafodd ei farnu'n ddieuog i ddechrau, ar ôl i'r barnwr ddweud bod rhaid profi bod y diffynnydd yn bwriadu difrodi eiddo **a** pheryglu bywyd. Ar apêl, dywedodd y Llys Apêl bod barnwr y treial yn anghywir. Er bod rhaid profi ei fod yn bwriadu difrodi eiddo, o ran peryglu bywyd doedd ond rhaid profi ei fod yn fyrbwyll. Felly cafwyd ef yn euog o ymgais i losgi bwriadol, gyda bwriad o beryglu bywyd.*

Ymgais i gyflawni'r amhosibl

Yn ôl Adran 1(2) Deddf Ymgeisiau Troseddol 1981:

'Gall rhywun fod yn euog o ymgais i gyflawni trosedd... er bod y ffeithiau'n ei gwneud yn amhosibl cyflawni'r drosedd.'

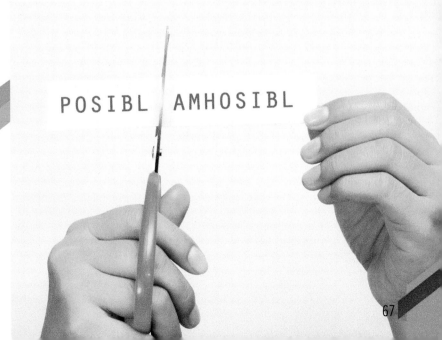

POSIBL AMHOSIBL

YMESTYN A HERIO

Ymchwiliwch i benderfyniad Tŷ'r Arglwyddi ar amhosibilrwydd yn **Anderton v Ryan (1985)**, a gafodd ei wrthdroi flwyddyn yn ddiweddarach yn **R v Shivpuri (1986)**. Yn eich barn chi, a oedd Tŷ'r Arglwyddi yn iawn i ddirymu ei benderfyniad blaenorol yn **Anderton v Ryan**?

GWELLA GRADD

Ymchwiliwch i ganfyddiadau adroddiad Comisiwn y Gyfraith yn 2009, 'Conspiracy and Attempts'. Ym mha ffyrdd gwnaeth *Deddf Ymgeisiau Troseddol 1981* wella'r gyfraith gyffredin, os gwellodd hi o gwbl? A oes angen rhagor o ddiwygio erbyn hyn?

Problemau yn ymwneud â'r gyfraith ar ymgais

Nid yw bob amser yn glir beth yw'r gwahaniaeth rhwng rhagbaratoi yn unig, ac ymgais. Oherwydd geiriad **Deddf Ymgeisiau Troseddol 1981**, sy'n nodi bod rhaid i'r diffynnydd gyflawni gweithred, nid yw'n bosibl cyflawni'r ymgais drwy anwaith (hynny yw, drwy beidio â gweithredu). A ddylai diffynnydd gael ei ganfod yn euog os yw'n amhosibl iddo gyflawni'r drosedd lawn?

Sgiliau Arholiad

Gallai'r pwnc hwn ymddangos yn arholiadau CBAC Safon Uwch unedau 3 a 4.

Gwnewch yn siŵr eich bod yn gallu **dadansoddi** a **gwerthuso** troseddau ymgais rhagarweiniol, a'ch bod hefyd yn gallu **cymhwyso** rheolau ac egwyddorion cyfreithiol troseddau ymgais rhagarweiniol i senarios penodol.

Crynodeb: Troseddau rhagarweiniol

▶ Ymgais yw pan fydd rhywun yn ceisio cyflawni trosedd ond yn methu ei chwblhau: fel caiff ei ddiffinio yn *a1 Deddf Ymgeisiau Troseddol 1981*

▶ *Actus reus*: mae rhywun yn cyflawni gweithred sy'n fwy na rhagbaratoi yn unig ar gyfer cyflawni trosedd

▶ *Mens rea*: mae gan berson fwriad o gyflawni'r drosedd honno

▶ Problemau yn ymwneud â'r gyfraith ar ymgeisio:

- Nid yw bob amser yn glir beth sy'n rhagbaratoi yn unig, a beth sy'n ymgais
- A ddylai diffynnydd fod yn euog os yw'n amhosibl iddo gyflawni'r drosedd lawn?

Dyma Amcanion Asesu manyleb CBAC. Mae'n bwysig eich bod yn eu hadnabod ac yn eu deall.

- **AA1:** Rhaid i chi **ddangos gwybodaeth a dealltwriaeth** o reolau ac egwyddorion cyfreithiol.
- **AA2:** Rhaid i chi **gymhwyso** rheolau ac egwyddorion cyfreithiol at senarios a roddir er mwyn cyflwyno dadl gyfreithiol gan ddefnyddio terminoleg gyfreithiol briodol.
- **AA3:** Rhaid i chi **ddadansoddi a gwerthuso** rheolau, egwyddorion, cysyniadau a materion cyfreithiol.

Sut mae cwestiynau arholiad yn cael eu gosod

Nod manyleb Y Gyfraith CBAC yw annog myfyrwyr i wneud y canlynol:

- datblygu a chynnal eu mwynhad o'r Gyfraith, a'u diddordeb yn y pwnc
- datblygu gwybodaeth a dealltwriaeth o feysydd penodol o'r gyfraith a'r system gyfreithiol yng Nghymru a Lloegr
- datblygu dealltwriaeth o ddulliau ac ymresymu cyfreithiol
- datblygu technegau ar gyfer meddwl yn rhesymegol a'r sgiliau sy'n angenrheidiol i ddadansoddi a datrys problemau drwy ddefnyddio rheolau cyfreithiol
- datblygu'r gallu i fynegi dadleuon a chasgliadau cyfreithiol gan gyfeirio at yr awdurdodau cyfreithiol priodol
- datblygu ymwybyddiaeth feirniadol o natur newidiol y gyfraith mewn cymdeithas
- creu sylfaen cadarn ar gyfer astudio pellach
- datblygu gwybodaeth ar hawliau a chyfrifoldebau unigolion fel dinasyddion gan gynnwys, pan fo'n briodol, dealltwriaeth o faterion moesol, ysbrydol a diwylliannol
- datblygu, pan fo'n briodol, sgiliau cyfathrebu, cymhwyso rhifedd, a thechnoleg gwybodaeth
- gwella eu dysgu a'u perfformiad eu hunain pan fo'n briodol, i hwyluso gweithio gydag eraill a datrys problemau yng nghyd-destun eu hastudiaethau o'r gyfraith.

Mae'r cwestiynau arholiad yn cael eu hysgrifennu gan y prif arholwr, sy'n gyfrifol am yr uned ymhell cyn yr arholiad. Mae pwyllgor o arholwyr profiadol yn trafod ansawdd pob cwestiwn, a bydd y cwestiynau yn cael eu newid nes i'r pwyllgor gytuno eu bod yn addas. Ysgrifennir y cwestiynau i adlewyrchu cynnwys a meini prawf llwyddiant y fanyleb.

Mae atebion arholiadau yn cael eu marcio ar sail tri amcan asesu (AA). Mae'r cwestiynau asesu enghreifftiol ar gyfer pob papur Y Gyfraith CBAC yn esbonio'r marciau sydd ar gael o dan bob AA.

Gwella eich perfformiad yn yr arholiadau

Mae nifer o bethau pwysig i'w cofio, a gwallau cyffredin sy'n cael eu gwneud gan fyfyrwyr Y Gyfraith.

Darllenwch y cyfarwyddiadau

Mae cymysgedd o gwestiynau gorfodol, a chwestiynau lle gallwch chi ddewis pa gwestiwn i'w ateb. Mae'n bwysig eich bod yn ateb y nifer cywir o gwestiynau, ac yn dewis eich cwestiynau yn ddoeth. Os na fyddwch chi'n dilyn y cyfarwyddiadau, ni fyddwch yn cael marciau.

AA1: Rhaid i chi ddangos gwybodaeth a dealltwriaeth o reolau ac egwyddorion cyfreithiol

Mae cwestiynau lle mae marciau AA1 ar gael fel arfer yn rhoi prawf ar eich gwybodaeth a'ch dealltwriaeth o destun, ac mae geiriau gorchymyn fel **esboniwch**, **disgrifiwch** ac **amlinellwch** i gyd yn dangos hyn.

AA2: Rhaid i chi gymhwyso rheolau ac egwyddorion cyfreithiol at senarios a roddir er mwyn cyflwyno dadl gyfreithiol gan ddefnyddio terminoleg gyfreithiol briodol

Mae cwestiynau lle mae marciau AA2 ar gael fel arfer yn rhoi prawf ar eich gallu i gymhwyso eich gwybodaeth a'ch dealltwriaeth o destun i senario penodol, er mwyn dod i gasgliad. Maen nhw'n defnyddio'r geiriau gorchymyn **cymhwyswch** neu **cynghorwch**. Defnyddiwch awdurdod cyfreithiol i gefnogi eich atebion.

AA3: Rhaid i chi ddadansoddi a gwerthuso rheolau, egwyddorion, cysyniadau a materion cyfreithiol

Mae cwestiynau lle mae marciau AA3 ar gael fel arfer yn gofyn i chi roi dadl **gytbwys**. Bydd cyfle bob amser i edrych ar ddwy ochr dadl, a dylech ofalu eich bod yn rhoi sylw manwl i'r ddwy ochr. Mae'r geiriau gorchymyn yn dangos bod angen **dadansoddi** a **gwerthuso**. Mae'r arholwr yn edrych am ddadl resymegol, gytbwys, sydd wedi'i chefnogi gan awdurdod cyfreithiol perthnasol, a chasgliad cryno.

Cymerwch amser i lunio cyflwyniad

Ar gyfer cwestiwn sy'n gofyn am draethawd estynedig, mae'n syniad da dechrau gyda chyflwyniad cryf i'ch ateb, gan ei fod yn dangos i'r arholwr o'r dechrau eich bod chi'n deall y testun. Peidiwch â mynd i 'falu awyr' yn eich cyflwyniad; treuliwch ychydig funudau yn meddwl a chynllunio cyn i chi ddechrau ysgrifennu.

Dechreuwch drwy ddiffinio'r termau allweddol sydd yn y cwestiwn. Mae rhai enghreifftiau i'w gweld isod:

I ba raddau mae Deddf Camliwio 1967 yn amddiffyn prynwyr rhag datganiadau esgeulus sy'n cael eu gwneud gan werthwyr? Dadansoddwch a gwerthuswch a ddylai'r gyfraith ar lofruddiaeth gael ei diwygio.

"Yn y blynyddoedd diweddar, mae'r llysoedd wedi datblygu set cwbl glir o egwyddorion ar gyfer penderfynu a ddylai trosedd fod yn un atebolrwydd caeth." Trafodwch.

Defnyddiwch achosion i ychwanegu awdurdod cyfreithiol

Defnyddiwch gymaint o **awdurdod cyfreithiol** ag y gallwch ei gofio. Mae hyn yn bwysig iawn pan fydd eich sgiliau cymhwyso (AA2) a dadansoddi a gwerthuso (AA3) yn cael eu profi. Mae angen i chi wneud yn siŵr hefyd eich bod yn esbonio pam mae'r achos yn berthnasol.

Enghraifft: *R v Young (1995)*

Ateb A

Anfantais arall rheithgorau yw nad oes ffordd o wybod sut penderfynodd y rheithgor ar ei reithfarn. Gwelwyd hyn yn achos *R v Young (1995)*.

Ateb B

Anfantais arall rheithgorau yw nad oes ffordd o wybod sut penderfynodd y rheithgor ar ei reithfarn. Gwelwyd hyn yn achos *R v Young (1995)*, lle defnyddiodd y rheithgor fwrdd Ouija i gysylltu â'r dioddefwr marw.

Mae'r adran a amlygwyd yn Ateb B yn dangos bod yr ymgeisydd yn gwybod ac yn deall perthnasedd yr achos. Ond roedd yr ymgeisydd yn Ateb A wedi defnyddio'r achos i ategu ei phwynt yn unig, heb symud ymlaen i ddangos **sut** mae'r achos yn berthnasol.

Os yw'n bosibl, ceisiwch ddyfynnu'r awdurdod cyfreithiol yn llawn. Cewch farciau am geisio dyfynnu, ond yn amlwg, mae'n fwy priodol os ydych chi'n dysgu am yr achosion a'r awdurdod cyfreithiol perthnasol.

Ateb A

Anfantais arall system y rheithgor yw nad oes ffordd o wybod sut penderfynodd y rheithgor ar ei reithfarn, fel y gwelwyd yn yr achos lle defnyddiodd y rheithgor fwrdd Ouija.

Ateb B

Anfantais arall rheithgorau yw nad oes ffordd o wybod sut penderfynodd y rheithgor ar ei reithfarn. Gwelwyd hyn yn achos *R v Young (1995)*, lle defnyddiodd y rheithgor fwrdd Ouija i gysylltu â'r dioddefwr marw.

Mae'n ddigon amlwg bod yr ymgeisydd a ysgrifennodd Ateb A yn gwybod am yr achos. Ond mae'r ffaith bod yr ymgeisydd yn Ateb B wedi ei ddyfynnu yn llawn yn dangos yn glir i'r arholwr fod yma wybodaeth **ardderchog** neu **dda**, yn hytrach na gwybodaeth **sylfaenol** yn unig.

Dangoswch eich bod yn ymwybodol o ddatblygiadau diweddar

Gwnewch yn siŵr eich bod yn ymwybodol o ddiwygiadau a beirniadaethau diweddar, a materion cyfoes yn y maes. Efallai bydd eich darlithydd wedi tynnu eich sylw at adroddiadau a newyddion o'r fath, ond mae wastad yn arfer da sicrhau eich bod yn gyfarwydd â'r datblygiadau diweddar.

Atebwch y cwestiwn sy'n cael ei ofyn yn unig

Gwnewch yn siŵr eich bod yn ateb y cwestiwn. Bydd llawer o ymgeiswyr wedi dysgu traethodau ar eu cof, ac yna'n ailadrodd yr atebion hyn yn yr arholiad, cyn gweld wedyn nad yw'r rhain yn ateb y cwestiwn o gwbl mewn gwirionedd. Darllenwch y cwestiwn a'i ailddarllen i wneud yn sicr bod yr hyn rydych chi wedi'i gynllunio yn ateb yr hyn sy'n cael ei ofyn.

Disgwyliwch i rai testunau gael eu cyfuno

Wrth adolygu, byddwch yn ofalus os ydych chi'n penderfynu gadael rhai testunau allan. Mae'n bosibl y cewch chi gwestiwn sy'n cyfuno testunau, ac efallai y byddwch yn gweld eich bod yn gallu ateb **rhan a**, ond nad ydych chi wedi adolygu digon i ateb **rhan b** cystal. Edrychwch yn ôl dros hen bapurau i weld pa gyfuniad o destunau sy'n codi.

Byddwch yn ofalus wrth ddefnyddio deunydd ysgogi

Os cyflwynir deunydd ysgogi, bydd gofyn i chi ei ddefnyddio fel ffynhonnell i gefnogi'ch pwyntiau. Ond yn y pen draw rydych yn cael eich arholi ar eich gwybodaeth **chi eich hun**. Ni fydd ailysgrifennu tabl yn eich geiriau eich hun, neu ddyfynnu'n helaeth o'r ffynhonnell, yn ennill marciau i chi.

Defnyddiwch unrhyw derminoleg yn gywir

Byddwch yn cael eich marcio ar eich defnydd priodol o derminoleg gyfreithiol a'ch dealltwriaeth o egwyddorion cyfreithiol craidd. Eto i gyd, mae ymgeiswyr yn aml yn gwneud camgymeriadau syml iawn. Ydych chi'n gwybod y gwahaniaeth rhwng:

* *CJEU* ac *ECtHR*?
* *CPS* a *CPR*?
* Euog ac atebol?
* Ynadon a rheithgorau?

Er bod y gwallau hyn yn gallu ymddangos yn amlwg, maen nhw'n gyffredin iawn, felly gofalwch eich bod wedi dysgu'r diffiniadau. Mae'n bwysig hefyd eich bod yn gwirio eich sillafu, yn enwedig wrth ddefnyddio geiriau sy'n cael eu camsillafu'n aml fel:

* diffynnydd
* anhrefn
* ditiadwy
* tribiwnlys.

Fformat yr arholiad

Mae'r arholiadau unigol yn cael eu galw'n **unedau**.

Papurau Y Gyfraith CBAC

Mae eich papur UG yn gam tuag at y cwrs U2. Bydd eich marciau ar gyfer UG yn cyfrannu at eich gradd gyffredinol. Mae'r papurau UG yn cynnig ychydig llai o her na phapurau U2, felly bydd y sgiliau rydych yn eu dangos ar lefel U2 yn rhai uwch. Efallai bydd papurau arholiad yn cyfeirio at engreifftiau o Gymru, ac rydych yn cael eich annog i ddefnyddio enghreifftiau o Gymru os yw hynny'n berthnasol.

Isod mae crynodeb o'r papurau gwahanol ar gyfer lefel U2 CBAC yn Y Gyfraith.

Unedau CBAC ar gyfer U2 Y Gyfraith

Mae lefel U2 Y Gyfraith CBAC yn adeiladu ar y sgiliau y gwnaethoch chi eu datblygu ar lefel UG. Mae'n cynnwys dau bapur ychwanegol, sef Uned 3 ac Uned 4, ac mae'n werth 60% o'r Safon Uwch cyffredinol.

UNED 3: Arfer Cyfraith Sylwedd / Arfer y Gyfraith Gadarnhaol

* Arholiad ysgrifenedig: 1 awr 45 munud.
* 30% o'r cymhwyster.
* 100 marc ar gael.

Mae'r uned hon yn gofyn i chi ddysgu am **ddau faes** o gyfraith sylwedd. Bydd rhaid i chi wneud yn siŵr eich bod yn ateb y cwestiynau ar y meysydd rydych chi wedi'u hastudio yn unig. Dyma'r opsiynau:

* cyfraith hawliau dynol (Adran A)
* cyfraith contract (Adran B)
* cyfraith trosedd (Adran C).

Nodyn: hen derm CBAC am 'Substantive Law' oedd 'Y Gyfraith Gadarnhaol'. Bellach mae'r term 'Cyfraith Sylwedd' wedi ennill ei blwyf, felly defnyddir y term hwn yn y gyfrol hon.

Bydd arholiad Uned 3 yn profi eich gwybodaeth a'ch dealltwriaeth o reolau ac egwyddorion cyfreithiol mewn perthynas â'r ddau faes o gyfraith sylwedd rydych chi wedi'u hastudio. Mae Uned 3 yn profi eich gallu i esbonio'r gyfraith (sgiliau AA1) a chymhwyso'r gyfraith honno i senario damcaniaethol penodol (sgiliau AA2).

- Mae'r arholiad yn cynnig dewis o ddau gwestiwn ym mhob adran. Felly bydd angen i chi ateb cyfanswm o ddau gwestiwn, un o bob adran, yn seiliedig ar y meysydd hynny o'r gyfraith rydych chi wedi'u hastudio. Er enghraifft, gallech chi ateb un cwestiwn o Adran A (cyfraith hawliau dynol), ac un cwestiwn o Adran C (cyfraith trosedd).

- Mae pob cwestiwn yn werth 50 marc, a dylech chi dreulio tua 52½ munud yr un ar bob cwestiwn.

- Mae pob cwestiwn yn profi eich gwybodaeth a'ch dealltwriaeth (sgiliau AA1), a'ch gallu i gymhwyso'r gyfraith (sgiliau AA2).

UNED 4: Safbwyntiau Cyfraith Sylwedd / Y Gyfraith Gadarnhaol

- Arholiad ysgrifenedig: 2 awr.

- 30% o'r cymhwyster.

- 100 marc ar gael.

Mae'r uned hon yn gofyn i chi ddysgu am **yr un meysydd** o fewn cyfraith sylwedd ag a wnaethoch ar gyfer Uned 3. Bydd rhaid i chi wneud yn siŵr eich bod yn ateb y cwestiynau ar y meysydd rydych chi wedi'u hastudio yn unig. Dyma'r opsiynau:

- cyfraith hawliau dynol (Adran A)

- cyfraith contract (Adran B)

- cyfraith trosedd (Adran C).

Bydd arholiad Uned 4 yn profi eich gwybodaeth a'ch dealltwriaeth o reolau ac egwyddorion cyfreithiol, mewn perthynas â'r ddau faes o gyfraith sylwedd rydych chi wedi'u hastudio. Mae Uned 4 yn profi eich gallu i esbonio'r gyfraith (sgiliau AA1) a dadansoddi a gwerthuso'r gyfraith (sgiliau AA3).

- Mae'r arholiad yn cynnig dewis o ddau gwestiwn ym mhob adran. Felly, mae'n rhaid i chi ateb cyfanswm o ddau gwestiwn, un o bob adran, yn seiliedig ar y meysydd cyfreithiol rydych chi wedi'u hastudio. Er enghraifft, gallech chi ateb un cwestiwn o Adran A (cyfraith hawliau dynol) ac un cwestiwn o Adran C (cyfraith trosedd).

- Mae pob cwestiwn yn werth 50 marc, a dylech chi dreulio tua awr ar bob cwestiwn.

- Mae pob cwestiwn yn profi eich gwybodaeth a'ch dealltwriaeth (sgiliau AA1) a'ch gallu i ddadansoddi a gwerthuso'r gyfraith (sgiliau AA3).

Pwysoli amcanion asesu CBAC ar gyfer lefel UG ac U2

Mae'r tabl isod yn dangos pwysoli'r amcanion asesu fel canran o'r Safon Uwch yn ei chyfanrwydd, gyda'r pwysoli UG mewn cromfachau.

	AA1	AA2	AA3	Cyfanswm
UG Uned 1	10% (25%)	7.5% (18.75%)	7.5% (18.75%)	25% (62.5%)
UG Uned 2	6% (15%)	4.5% (11.25%)	4.5% (11.25%)	15% (37.5%)
U2 Uned 3	12%	18%	–	30%
U2 Uned 4	12%	–	18%	30%
Pwysoliad cyffredinol	**40%**	**30%**	**30%**	**100%**

Cwestiynau ymarfer enghreifftiol ac atebion

Mae'r adran hon yn defnyddio cwestiynau enghreifftiol o'r Deunyddiau Asesu Enghreifftiol a gyhoeddir gan CBAC. Maen nhw'n cynrychioli'r cwestiynau gwahanol a all ymddangos ar bob papur ym manyleb CBAC. **Mae rhifau'r cwestiynau yn adlewyrchu'r rhifau yn y Deunyddiau Asesu Enghreifftiol, felly nid ydyn nhw'n dilyn trefn resymegol yn y llyfr hwn.**

Mae atebion enghreifftiol wedi'u rhoi ar gyfer pob cwestiwn: un ateb cryfach, ac un ateb gwannach. Gallwch gyfeirio at y cynlluniau marcio yn y Deunyddiau Asesu Enghreifftiol wrth i chi weithio drwy'r atebion enghreifftiol hyn.

Nid gwaith myfyrwyr yw'r ymatebion, ond awduron y llyfr sydd wedi'u hysgrifennu er mwyn rhoi fframwaith i'r sylwadau. Mae'r sylwadau'n adlewyrchu barn yr awduron yn unig, ac nid y bwrdd arholi sydd wedi'u cynhyrchu.

CBAC U2 Y Gyfraith: Uned 3

Ar gyfer papurau Uned 3, mae'n rhaid i chi ateb dau gwestiwn o ddwy adran wahanol, i adlewyrchu meysydd o gyfraith sylwedd rydych chi wedi'u hastudio. Er enghraifft, gallech chi ateb un cwestiwn o Adran A (hawliau dynol) ac un cwestiwn o Adran C (cyfraith trosedd). Mae pob cwestiwn yn werth 50 marc, ac awgrymir eich bod yn treulio tua 52½ munud yr un ar bob cwestiwn. Mae'r cwestiynau ar ffurf problem, ac maen nhw'n profi **AA1 Gwybodaeth a dealltwriaeth**, ac **AA2 Sgiliau cymhwyso**.

CBAC U2 Y Gyfraith: Uned 3 Adran A

Cwestiwn 2

Roedd PC Smith a PC Walker yn eistedd mewn car heddlu pan gerddodd Llyr heibio yn gwisgo hwdi ac yn cario bag siopa plastig llawn. Meddai PC Smith, 'Gad i ni ei ddal,' a gwaeddodd ar Llyr 'Aros nawr; y lleidr!' Cydiodd PC Walker ym mraich Llyr yn gas, mynd â'r bag plastig oddi arno a'i agor. Roedd sawl cyfrifiadur tabled ac ambell i ffôn symudol yn y bag. Dywedodd PC Smith wrth Llyr, 'Cer mewn i'r car, rwyt ti'n dod efo ni.' Ufuddhaodd Llyr, a chafodd ei yrru i orsaf yr heddlu.

Yn y car ar y ffordd, dywedodd Llyr fod aelodau'r clwb tennis yr oedd yn aelod ohono wedi rhoi eu hen offer technolegol i gasglu arian ar gyfer argyfwng y ffoaduriaid yn Syria a'i fod wedi bod yn helpu. Wrth gyrraedd gorsaf yr heddlu, gofynnodd Llyr am gael cysylltu â'i ddarpar wraig, gan y byddai hi'n poeni amdano, ac am gael ymgynghori â chyfreithiwr. Dywedodd swyddog y ddalfa nad oedd yn cael cysylltu â'i ddarpar wraig a byddai'n rhaid iddo aros nes bod yr heddlu wedi gorffen ei holi cyn siarad â chyfreithiwr. Yna cafodd Llyr ei gadw am 52 awr, a chafodd ei gyfweld am gyfnodau hir yn yr amser hwnnw heb egwyl a heb fwyd na dŵr. Cymerodd yr heddlu sampl o olion bysedd a swab o geg Llyr, gan ddweud wrtho y bydden nhw'n cael eu cadw yng nghofnodion yr heddlu am gyfnod amhenodol. Ar ddiwedd y cyfnod hwnnw, dywedodd yr heddlu wrth Llyr y byddai'n cael mechnïaeth wrth ddisgwyl am ymholiadau pellach.

Yng ngoleuni cyfraith achosion cofnodedig a ffynonellau eraill y gyfraith, cynghorwch Llyr ynglŷn â chyfreithlondeb gweithredoedd yr heddlu. [50]

Mae'r gair gorchymyn **cynghorwch** yn gofyn i chi roi esboniad byr o gysyniad cyfreithiol, ac yna ei gymhwyso i'r senario er mwyn rhoi cyngor.

Cwestiwn 2 – ymateb cryfach

O dan **a1–3 Deddf yr Heddlu a Thystiolaeth Droseddol 1984**, mae gan PC Smith a PC Walker hawl i atal a chwilio Llyr os oes ganddyn nhw gred neu amheuaeth resymol ei fod yn cario nwyddau wedi'u dwyn neu eitemau wedi'u gwahardd, ac roedd Llyr yn cario'r eitemau hyn. O dan **a117**, mae ganddyn nhw hawl hefyd i ddefnyddio grym rhesymol ac atafaelu (*seize*) unrhyw eitemau wedi'u gwahardd, fel mae Cod A yn eu nodi.

Cafodd **Adran 24 Deddf yr Heddlu a Thystiolaeth Droseddol 1984** ei diwygio gan **Ddeddf Troseddu Cyfundrefnol Difrifol a'r Heddlu 2005**. Yr achos arweiniol oedd O'Hara (2002). Mae'n rhaid bod gan PC Smith a PC Walker gred resymol bod Llyr wedi cyflawni trosedd, yn ei chyflawni, neu ar fin ei chyflawni, a sail resymol dros gredu bod arestio yn angenrheidiol – hynny yw, er mwyn atal Llyr rhag diflannu, er mwyn ymchwilio'n brydlon i'r achosion, er mwyn atal niwed i eraill neu atal niwed i dyston a thystiolaeth neu ymyrraeth â nhw. Mae'r canllawiau ar gyfer hyn wedi'u cynnwys yng Nghod G. Ond o dan **a28** y Ddeddf, mae'n rhaid i PC Smith a PC Walker ddweud wrth Llyr ei fod wedi cael ei arestio, hyd yn oed os yw'r rheswm yn gwbl amlwg, fel yn Christie v Leachinsky (1947). Nid yw'n amlwg eu bod wedi gwneud hyn, ac os felly, mae hynny'n torri'r Codau.

Ar ôl cyrraedd gorsaf yr heddlu, dylai swyddog y ddalfa gyfarfod Llyr o dan adrannau 36 a 37. Y swyddog fydd yn penderfynu a oes digon o dystiolaeth i'w gyhuddo, neu ei gadw i gael ei holi ymhellach, neu i roi mechnïaeth iddo o dan **a38**. Fodd bynnag, nid yw'n glir a wnaeth Llyr gyfarfod y person hwn yn syth.

Mae Llyr yn gofyn am gael cysylltu â'i ddarpar wraig. O dan **a56 Deddf yr Heddlu a Thystiolaeth Droseddol 1984**, mae ganddo hawl i roi gwybod i rywun ei fod wedi cael ei arestio. Fodd bynnag, gall hyn gael ei oedi am hyd at 36 awr os yw'n drosedd dditiadwy, neu os yw PC Smith a PC Walker yn credu byddai hyn yn ymyrryd â thystion neu'n amharu ar dystiolaeth. Hefyd, mae gan Llyr hawl i gysylltu â chyfreithiwr ar ddyletswydd am ddim. Fodd bynnag, gall hyn hefyd gael ei oedi am hyd at 36 awr o dan **a58**, o dan yr un amgylchiadau ag yn R v Samuel (1988) ac R v Alladice (1988). O dan **a41 Deddf yr Heddlu a Thystiolaeth Droseddol 1984**, dylai Llyr gael ei gadw i'w holi am ddim mwy na 96 awr cyn ei gyhuddo. Cafodd hyn ei ddiwygio am gyfnod byr yn 2011 yn achos Hookway, ond barnwyd bod hyn yn tanseilio realiti plismona. Felly cafodd ei wrthdroi o dan **Ddeddf Cadw a Mechnïaeth**, gan olygu bod y cloc yn cael ei stopio rhwng sesiynau yn ystod y 96 awr. Fodd bynnag, o dan **Ddeddf Plismona a Throsedd 2017**, gall Llyr gael ei gadw ar fechnïaeth am ddim mwy na 28 diwrnod heb gyhuddiad. Ar ôl hynny, gall estyniad o dri mis gael ei roi gydag awdurdod un o uwch swyddogion yr heddlu. Mae'n rhaid cael awdurdod ynad ar gyfer unrhyw gyfnod hirach na thri mis.

Yng ngorsaf yr heddlu, dylai Llyr gael ei drin yn unol â Chod C. Dylai'r gell lle mae'n cael ei gadw gael ei goleuo'n dda, gyda mynediad i doiledau a chyfleusterau ymolchi. Wrth gael ei holi, ni ddylai Llyr orfod sefyll, a dylai gael egwyl bob dwy awr yn ystod yr holi. Nid yw hyn wedi digwydd. Dylai Llyr gael dau bryd ysgafn ac un pryd mawr mewn cyfnod o 24 awr hefyd, a dylai gael egwyl barhaus o wyth awr. Nid yw hyn wedi digwydd, felly gallai hynny effeithio ar ganlyniad yr achos. O dan **a40** y Ddeddf, dylid adolygu cyfnod cadw Llyr ar ôl chwe awr i ddechrau, ac yna bob naw awr yn dilyn hyn.

> Mae'r ymgeisydd yn dangos arfer da drwy ddatgan y gyfraith ac yna ei chymhwyso i'r sefyllfa. Dyma strwythur defnyddiol wrth ateb cwestiynau problem, ac mae'n dangos sgiliau AA1 (Gwybodaeth a dealltwriaeth) yn ogystal â rhai AA2 (Sgiliau cymhwyso).

> Mae hyn yn dangos gwybodaeth dda iawn am fechnïaeth, gan gynnwys y cyfreithiau cyfredol a diweddar yn ymwneud â mechnïaeth yr heddlu heb gyhuddiad.

> Dylid cyfeirio at y canlyniadau os yw'r heddlu yn torri gofynion Deddf yr Heddlu a Thystiolaeth Droseddol 1984.

Pe bai DNA Llyr wedi ei gymryd o dan **a64**, byddai hawl gan yr heddlu i'w gymharu â'r data sydd ar gael yn barod yn y Gronfa Ddata DNA Genedlaethol. Ond yn achos **Marper v UK (2008)**, ystyriwyd bod storio DNA yn torri **Erthygl 8 ECHR** (yr hawl i breifatrwydd). Yn yr achos hwn, dywedwyd mai dim ond DNA diffynyddion euog allai gael ei storio am gyfnod amhenodol.

Gall yr heddlu roi mechnïaeth i Llyr o dan **a38 Deddf yr Heddlu a Thystiolaeth Droseddol 1984**, a gofyn iddo gydymffurfio ag amodau penodol – er enghraifft, adrodd yn ôl i swyddfa'r heddlu, cyrffiw neu dagio. Rhaid ystyried unrhyw achos o dorri codau o dan **a78** yn ddifrifol iawn, a rhaid iddo fod yn sylweddol i effeithio ar yr achos.

> Mae'r ateb braidd yn niwlog mewn mannau, ac nid yw'n esbonio'n union beth mae a78 yn ei nodi a sut byddai torri a78 yn effeithio ar dderbynioldeb y dystiolaeth yn y llys.

> Byddai'r ateb hwn yn ennill marc uchel band 3 neu farc isel band 4 gan ei fod yn cynnwys disgrifiad o'r gyfraith, sy'n gywir ar y cyfan, ar gyfer AA1 (Gwybodaeth a dealltwriaeth), ac wedi ei gymhwyso i'r senario ar gyfer AA2 (Sgiliau cymhwyso).

Cwestiwn 2 – ymateb gwannach

Gan fod Llyr yn gwisgo hwdi ac yn cario bag siopa plastig llawn, mae'n rhaid bod gan PC Smith a PC Walker amheuaeth gyffredinol ynglŷn â'r hyn roedd Llyr yn ei gario yn ei fag, ac amheuaeth ei fod wedi cyflawni gweithred anghyfreithlon. Hyd yma, mae Llyr yn ddieuog ac nid yw wedi gwneud dim o'i le heblaw cerdded heibio. Fodd bynnag, os oes gan yr heddlu amheuaeth resymol, mae ganddyn nhw hawl i atal a chwilio o dan God C. Dywedodd PC Smith, 'Gad i ni ei ddal', ond doedd dim rheswm dros ddweud hyn. Mae'n ymddangos bod yr heddlu wedi targedu Llyr gan ei fod yn gwisgo hwdi ac yn cario bag plastig llawn. Yna cafodd Llyr ei atal a'i chwilio, ond wnaeth yr heddlu ddim esbonio wrtho pam roedd yn cael ei chwilio. Yna dywedodd PC Smith 'Cer mewn i'r car, rwyt ti'n dod efo ni'. Roedd hyn yn anghywir gan nad oedd unrhyw reswm dros arestio Llyr, a dylai hyn yn bendant fod wedi cael ei ddatgan o dan God G. Ufuddhaodd Llyr ac ar ôl iddyn nhw gyrraedd gorsaf yr heddlu, gofynnodd Llyr am gael cysylltu â'i ddarpar wraig ac ymgynghori â chyfreithiwr. Dywedodd swyddog y ddalfa y byddai'n rhaid iddo aros. Dylai Llyr fod wedi cael caniatâd i gysylltu â'i ddarpar wraig i ddweud wrthi ei fod wedi cael ei arestio, gan fod gwneud galwad ffôn yn un o'i hawliau dynol. Dylai Llyr fod wedi cael caniatâd i gysylltu â chyfreithiwr hefyd. Yna cafodd Llyr ei gadw am 52 awr. Mae hynny'n gyfreithlon, oherwydd gellir ei gadw am hyd at 96 awr os bydd Llys y Goron neu farnwyr yn awdurdodi hynny. Ond ni roddwyd caniatâd i Llyr gael egwyl wrth ei holi am gyfnodau hir, a dylai fod wedi cael egwyl fer. Chafodd Llyr ddim bwyd na dŵr, a dylai fod wedi eu cael os gofynnodd amdanyn nhw.

Yn fy marn i, torrodd yr heddlu eu dyletswydd gofal tuag at Llyr pan oedd yn y ddalfa, gan eu bod wedi gwrthod yr hawl iddo gysylltu â'i ddarpar wraig ac ymgynghori â chyfreithiwr, er iddo ofyn am hyn. Ni chafodd Llyr fwyd na dŵr pan oedd yn cael ei gadw yn y ddalfa chwaith, ac ni chafodd egwyl, felly doedd gweithredoedd yr heddlu ddim yn gyfreithlon.

> Mae'r ymgeisydd wedi dyfynnu Cod C yn anghywir.

> Mae'r wybodaeth am y Codau i'w chanmol yn fawr, ond dim ond pan mae'n gywir, ac wedi'i hategu ag adrannau o'r Ddeddf berthnasol, y mae'r wybodaeth yn argyhoeddi.

> Unwaith eto, mae cryn dipyn o ailadrodd y ffeithiau dan sylw, a dim cyfeiriad at unrhyw awdurdod cyfreithiol nac adrannau ategol o Ddeddf yr Heddlu a Thystiolaeth Droseddol 1984.

> Mae'r ateb yn dechrau mynd yn ailadroddus, a does dim awdurdod cyfreithiol wedi ei gynnig ar gyfer hawliau cadw troseddwyr yn y ddalfa na chyfeirio at gymryd DNA. Does dim llawer o gyfeirio chwaith at y gyfraith yn ymwneud â mechnïaeth yr heddlu a gofynion a38 Deddf yr Heddlu a Thystiolaeth Droseddol 1984.

> Does dim cyfeiriad yma at ganlyniadau torri pwerau'r heddlu mewn perthynas â derbynioldeb y dystiolaeth yn y llys.

> Nid yw'r ateb hwn yn cynnwys llawer o awdurdod cyfreithiol, ac mae'r disgrifiad o'r gyfraith yn sylfaenol ar gyfer AA1 (Gwybodaeth a dealltwriaeth). Mae rhywfaint o ymgais i gymhwyso ar gyfer AA2 (Sgiliau cymhwyso), ond mae hyn ar lefel uchel band 1/lefel isel band 2.

CBAC U2 Y Gyfraith: Uned 4

Ar gyfer papurau Uned 4, mae'n rhaid i chi ateb dau gwestiwn o ddwy adran wahanol, gan adlewyrchu'r meysydd o gyfraith sylwedd rydych chi wedi'u hastudio. Er enghraifft, gallech chi ateb un cwestiwn o Adran A (hawliau dynol), ac un cwestiwn o Adran C (cyfraith trosedd). Mae pob cwestiwn yn werth 50 marc, ac awgrymir eich bod yn treulio awr (60 munud) yr un ar bob cwestiwn. Mae'r cwestiynau ar ffurf traethawd, ac maen nhw'n profi **AA1 Gwybodaeth a dealltwriaeth** ac **AA3 Sgiliau dadansoddi a chymhwyso**.

CBAC U2 Y Gyfraith: Uned 4 Adran C

Cwestiwn 6

Dadansoddwch a gwerthuswch y meini prawf y mae'r llysoedd yn eu defnyddio wrth benderfynu a yw'r Senedd yn bwriadu i drosedd fod yn drosedd atebolrwydd caeth. [50]

Mae'r geiriau gorchymyn '**dadansoddwch a gwerthuswch**' yn gofyn i chi werthuso materion cyfreithiol mewn ffordd feirniadol drwy nodi safbwyntiau gwahanol, cefnogi hyn drwy nodi'r safbwynt cryfaf, a dangos eich gallu i ddadlau yn erbyn safbwyntiau eraill. Dylid defnyddio awdurdod cyfreithiol i gefnogi eich dadleuon.

Cwestiwn 6 – ymateb cryfach

Y rhagdybiaeth yw bod rhaid i bob trosedd gael *actus reus* (gweithred droseddol) a *mens rea* (meddwl euog). Ond mae'n bosibl i rai troseddau gael *actus reus* yn unig. Troseddau atebolrwydd caeth yw'r enw ar y rhain. O fewn y grŵp hwn o droseddau mae rhai o'r enw troseddau atebolrwydd llwyr, lle does dim rhaid cael *mens rea*, a does dim rhaid i'r *actus reus* fod yn wirfoddol chwaith hyd yn oed.

Yn **Larsonneur (1933)**, cafodd un o ddinasyddion Ffrainc ei hallgludo o Loegr i Iwerddon. Ond doedd yr awdurdodau yn Iwerddon ddim yn fodlon iddi aros, a chafodd ei hanfon yn ôl ar unwaith i Loegr, lle cafodd ei harestio. Cafodd ei dedfrydu'n euog gan ei bod yn Lloegr. Doedd sut roedd hi wedi cyrraedd yno (yn wirfoddol neu beidio) ddim yn berthnasol. Yn yr un modd, yn **Winzar v Chief Constable of Kent**, cafodd Winzar ei gludo i'r ysbyty, lle daeth yn amlwg ei fod yn feddw. Dywedwyd wrtho i adael yr ysbyty, ond syrthiodd i gysgu mewn coridor. Galwyd yr heddlu a'i symud i'r stryd, lle cafodd ei arestio am fod 'yn feddw ar y briffordd'. Yn achos **Pharmaceutical Company of Great Britain v Storkwain**, roedd y fferyllydd wedi dosbarthu cyffuriau o bresgripsiwn ffug. Er nad oedd yn gwybod bod y presgripsiwn yn ffug, cafodd ei ddyfarnu'n euog. Methodd yr apêl, ac mae hyn yn dangos rôl y llys wrth benderfynu a yw trosedd yn un atebolrwydd caeth neu atebolrwydd llwyr.

Mae'r holl achosion uchod yn dangos atebolrwydd llwyr. Maen nhw'n dangos nad oes rhaid i'r *mens rea* fod yn bresennol, ac nad oes rhaid i'r *actus reus* fod yn wirfoddol. Nesaf edrychaf ar achosion atebolrwydd caeth lle nad yw *mens rea* yn ofynnol. Yn **Gammon (Hong Kong) v Attorney General**, cadarnhawyd mai'r man cychwyn i lysoedd yw rhagdybio bod angen *mens rea* bob amser. Ond gall y rhagdybiaeth hon gael ei gwrthbrofi drwy ystyried pedwar ffactor. Mae rôl y llys yn ganolog. Yn yr achos hwn, doedd yr adeiladwyr ddim wedi dilyn y cynlluniau, a syrthiodd rhan o adeilad. Doedden nhw ddim wedi bwriadu gwyro oddi wrth y cynlluniau, nac wedi bwriadu i'r adeilad syrthio. Ond roedd hynny yn amherthnasol – roedden nhw wedi gwneud hyn, ac felly roedd ganddyn nhw'r *actus reus*. Y broblem gyda statudau Cymru a Lloegr yw nad ydyn nhw bob amser yn nodi a yw trosedd yn un atebolrwydd caeth ai peidio. Y barnwr fydd yn penderfynu, gan ddefnyddio'r cwestiynau isod a drwy ddehongli statudol, fel y rheol lythrennol neu reol drygioni, i benderfynu. Mae'n bwysig edrych ar y geiriad, a'r ystyr roedd y Senedd yn ei fwriadu.

Paragraff agoriadol cryf lle mae'r ymgeisydd yn gwneud yn dda i ganolbwyntio ar atebolrwydd caeth a'r rhagdybiaeth o *mens rea*. Hefyd, mae'r ymgeisydd yn cyflwyno cysyniad ychwanegol, sef troseddau atebolrwydd llwyr.

Mae'r ymgeisydd wedi nodi ac ystyried amrediad o gyfraith achosion yn gywir yma er mwyn egluro atebolrwydd llwyr. Mae wedi gwneud yn dda iawn i gael teitlau, ffeithiau a chasgliad yr achosion yn gywir, gan ddangos y cysylltiad â'r cwestiwn. Mae'r ymgeisydd yn ysgrifennu yn gryno a phwrpasol.

Yn y paragraff llwyddiannus hwn, mae'r ymgeisydd wedi esbonio'n gywir nad oes rhaid i'r *actus reus* fod yn wirfoddol ar gyfer troseddau atebolrwydd llwyr. Yna mae'r ymgeisydd, yn briodol, wedi mynd ymlaen i ystyried atebolrwydd caeth, sef prif ganolbwynt y cwestiwn hwn. Cyflwynir rhagdybiaeth *mens rea*, a rôl barnwyr wrth ddefnyddio canllawiau Gammon. Mae hyn yn bwysig gan fod yr ateb yn canolbwyntio ar y cwestiwn unwaith eto. Mae'r ymgeisydd yn esbonio ac yn defnyddio terminoleg allweddol yn dda iawn, ac mae'n canolbwyntio'n dda ar y cwestiwn (er y gallai fod wedi cyfeirio at union eiriad y cwestiwn).

Mae'r rhan hon o'r ateb yn arbennig o dda, ac mae'n rhoi gwerthusiad soffistigedig o'r pedwar ffactor. Mae'r ymgeisydd yn cynnwys cyfraith achosion yn gywir, ac yn esbonio perthnasedd yr achosion hyn i gysyniad atebolrwydd caeth. Mae'r dyfnder yn dangos gwybodaeth a dealltwriaeth, gan ystyried nifer o eiriau yn ffactor 1 sy'n dangos a yw trosedd yn un atebolrwydd caeth neu beidio. Golyga hyn fod yr ateb yn canolbwyntio'n dda ar y cwestiwn.

Yn y paragraff hwn, mae'r ymgeisydd wedi ystyried tegwch atebolrwydd caeth er mwyn cryfhau'r gwerthuso a'r dadansoddi. Mae'r ymgeisydd wedi defnyddio rhai achosion da i brofi ei honiadau. Mae'n gwneud pwynt da wrth nodi nad yw camgymeriad yn amddiffyniad.

Yma, mae'r ymgeisydd wedi ystyried rhai o fanteision ac anfanteision atebolrwydd caeth, ac er nad oedd hyn yn ofynnol ar gyfer y cwestiwn, mae'n gwella'r ateb. Mae'r ymgeisydd wedi gwneud yn dda i gyfyngu'r amser a gafodd ei dreulio ar yr agwedd hon, oherwydd nid dyma brif ganolbwynt y cwestiwn. Er mwyn canolbwyntio ar y cwestiwn yn well yn y paragraff hwn, gellid bod wedi ystyried diffyg cysondeb barnwyr (ac achosion Lim Chin Aik a Smedleys v Breed)

Mae'r ymgeisydd wedi rhoi casgliad, sydd yn elfen hanfodol o gwestiwn traethawd. Mae wedi crynhoi rhai o'r prif agweddau, er y gallai hyn fod ychydig yn hirach. Mae'r ymgeisydd hefyd yn awgrymu bod anghysondeb, ond gallai fod wedi trafod rhywfaint o gyfraith achosion mewn perthynas â hyn yn gynt yn yr ateb.

Dyma'r pedwar cwestiwn Gammon sy'n cael eu gofyn gan farnwyr:

1. A yw'r statud, drwy'r geiriau a ddefnyddir, yn awgrymu ei bod yn drosedd atebolrwydd caeth? A yw'r geiriau 'yn fwriadol' neu 'yn ymwybodol' yn y statud, neu 'achosi' neu 'feddu ar' rywbeth? Byddai hynny'n golygu bod y drosedd yn un atebolrwydd caeth. Mae **Alphacell v Woodward** yn dangos hyn, lle gwnaeth cwmni 'achosi' i ddeunydd llygredig fynd i mewn i afon. Doedden nhw ddim wedi bwriadu gwneud hyn, ac roedden nhw wedi gosod hidlydd. Ond llenwodd yr hidlydd â dail, a nhw oedd wedi achosi hyn.

2. Ai trosedd reoleiddiol yw hi, neu drosedd wirioneddol? Does dim llawer o stigma yn gysylltiedig â throseddau rheoleiddiol fel arfer (e.e. gyrru'n rhy gyflym). Barnodd achos **Sweet v Parsley** fod troseddau gwirioneddol yn rhai 'troseddol', a bod rhywfaint o stigma yn gysylltiedig â nhw (fel colli eich swydd oherwydd yr euogfarn).

3. A oes agwedd o bwys cyhoeddus/cymdeithasol i'r drosedd? Gall hyn fod yn rhywbeth fel gwerthu alcohol neu docynnau loteri i bobl dan oed, fel yn achos **Harrow v Shah**.

4. Beth yw'r gosb am y drosedd? Yn achos **Gammon**, roedd $HK250,000 o ddirwy neu ddedfryd o garchar am 5 mlynedd. Ond roedd hwn yn achos eithriadol, gan fod y dirwyon yn fach fel arfer. Y lleiaf yw'r ddirwy (fel yn achos gyrru'n rhy gyflym), y mwyaf tebygol yw hi y bydd y drosedd yn cael ei hystyried yn un atebolrwydd caeth.

Gall atebolrwydd caeth ymddangos yn annheg, fel yn **Callow v Tillstone**. Gwerthodd y cigydd gig gwael, ond roedd wedi gofyn i'w filfeddyg fwrw golwg ar y cig i weld a oedd yn addas i'w fwyta. Dywedodd y milfeddyg ei fod, ac felly gwerthodd y cig. Ond nid oedd yn addas, a chafodd y cigydd ddirwy. Er bod y ddirwy yn fach, rhaid bod yr effaith ar ei enw da yn fwy o lawer. Roedd wedi cymryd gofal priodol, ond roedd wedi cyflawni'r *actus reus* ac felly roedd yn euog. Erbyn hyn, mae amddiffyniad 'diwydrwydd dyladwy' (*due diligence*) am rai troseddau. Er hynny, nid yw camgymeriad yn amddiffyniad. Achos o gamgymeriad wrth werthu alcohol yw **Cundy v Le Coq**, lle roedd yn amlwg bod yr unigolyn yn feddw, ac na ddylid bod wedi gwerthu alcohol iddo.

Mae gwahanol fanteision ac anfanteision i atebolrwydd caeth. Un fantais yw ei fod yn annog pobl i gymryd sylw a gofal. Ond ar y llaw arall, mae rhai yn cael eu dedfrydu'n euog hyd yn oed ar ôl iddyn nhw gymryd pob cam rhesymol i osgoi cyflawni trosedd. Mae cwmnïau mwy weithiau'n derbyn hyn ac yn parhau i dalu dirwyon bach, gan nad ydyn nhw'n cael llawer o effaith ariannol. Ond bydd y ddirwy a'r niwed i'w henw da yn cael mwy o effaith ar gwmnïau bach. Unwaith i rywun sylweddoli nad oes amddiffyniad a bod y llysoedd yn dechrau gosod dirwyon mwy, bydd ymddygiad yn newid. Enghraifft dda o hyn yw gwisgo gwregysau diogelwch mewn ceir. Rai blynyddoedd yn ôl, byddai llawer o bobl yn gwrthod gwisgo gwregys. Ond ers i'r gyfraith newid ac ar ôl llawer o ddirwyon, mae'r rhan fwyaf o bobl erbyn hyn yn gwisgo gwregys.

Wrth edrych ar y cwestiwn, mae'n bwysig bod barnwyr yn gyson wrth benderfynu a oes angen *mens rea* ar drosedd. Mae'r Senedd yn sofran. Ond barnwyr yw'r rhai sydd wedi pennu cwmpas cyfraith atebolrwydd caeth. Troseddau atebolrwydd llwyr yw'r mwyaf annheg, ond gall atebolrwydd caeth hefyd, gan mai'r barnwyr sy'n penderfynu, fod yn anghyson ac yn annheg, oni bai fod cynsail yn cael ei gosod a'i dilyn.

Mae'r ateb yn dangos gwybodaeth a dealltwriaeth ardderchog, a byddai felly yn ennill marc Band 4 ar gyfer AA1. Ar gyfer AA3, nid yw'r ateb yn llwyddo i gyrraedd band 5, ond byddai'n ennill marc band 4 uchel gan ei fod yn cynnwys dadansoddiad da iawn o reolau, egwyddorion, cysyniadau a materion cyfreithiol sy'n berthnasol i'r cwestiwn, gwerthusiad da iawn o'r dadleuon sy'n ymwneud â'r cwestiwn (gan gynnwys barn ddilys), a defnydd da iawn o gyfraith achosion ac awdurdodau cyfreithiol i gefnogi.
Pe bai wedi cynnwys pwynt am ddiffyg cysondeb a rhywfaint o gyfraith achosion cyfreithiol cyferbyniol, byddai'r ymgeisydd wedi gallu ennill marc band 5 ar gyfer AA3. Collwyd rhai cyfleoedd i ganolbwyntio ar y cwestiwn hefyd.

Cwestiwn 6 – ymateb gwannach

Mae'r rhan fwyaf o droseddau yn gofyn am *actus reus a mens rea*. Ystyr y rhain yw gweithred euog a meddwl euog. Er enghraifft, yr *actus reus* ar gyfer llofruddiaeth yw lladd bod dynol yn anghyfreithlon, a'r *mens rea* ar gyfer llofruddiaeth yw malais bwriadus, neu ar gyfer GBH, 'clwyfo anghyfreithlon yn fyrbwyll neu yn fwriadol'. Mater i'r llys yw penderfynu a oes angen cael *actus reus a mens rea*.

> Mae'r ymgeisydd wedi diffinio termau *actus reus* a *mens rea* fel cyflwyniad, ac wedi rhoi enghreifftiau o *actus reus* a *mens rea*.

Ystyr *actus reus* yw gweithred euog, ac yng nghyfraith Cymru a Lloegr nid yw peidio â gweithredu yn drosedd, oni bai eich bod dan ddyletswydd i wneud hynny. O ganlyniad, mae rhai troseddau lle mae'n rhaid cael canlyniad penodol er mwyn bod yn euog – fel llofruddiaeth, lle mae'n rhaid i'r dioddefwr farw. Mae troseddau gweithred i'w cael hefyd. Gyda'r rhain nid oes ots am y canlyniad; yn achos anudon, mae dweud celwydd ar lw yn ddigon i gael rhywun yn euog, hyd yn oed os na chafodd y celwydd unrhyw effaith ar yr achos. Hefyd, mae rhai sefyllfaoedd lle mae 'dyletswydd i weithredu'. Yn y rhain, mae dyletswydd ar rywun i weithredu, ac os nad yw'n gwneud hyn a bod rhywun yn cael ei anafu, gall fod yn euog o drosedd. Mae hyn i'w weld yn achos **Pitwood**, pan aeth ceidwad gât rheilffordd i gael ei ginio gan adael y gât ar agor, a bu rhywun farw. Roedd ganddo ddyletswydd yn ei gontract i ofalu bod y gât wedi ei chau. Roedd **Miller** yn sgwatiwr a daniodd sigarét, syrthio i gysgu ac yna deffro gyda'i fatres ar dân! Ni wnaeth alw'r frigâd dân. Yn lle hynny, symudodd i'r ystafell nesaf a mynd yn ôl i gysgu! Ef oedd wedi creu'r sefyllfa beryglus, ac felly roedd dyletswydd arno i geisio cael help neu geisio ei ddiffodd. Ond dim ond y rhai sydd o dan ddyletswydd i weithredu fydd yn gorfod gweithredu.

> Dehonglodd yr ymgeisydd y cwestiwn fel un lle mae angen trafodaeth am elfennau trosedd (*actus reus* a *mens rea*). Mae'r ymgeisydd wedi canolbwyntio ar anwaith ac ar gysyniad y 'ddyletswydd i weithredu'. Yn gyffredinol, mae'r ymgeisydd yn gwneud hyn yn dda ac yn dangos ei ddealltwriaeth drwy roi rhai enghreifftiau o gyfraith achosion perthnasol. Fodd bynnag, nid yw'n canolbwyntio ar y cwestiwn penodol.

Hefyd, mae mathau gwahanol o *mens rea* megis *mens rea* bwriadol, *mens rea* byrbwyll (byrbwylltra Cunningham) neu esgeuluster. Mae'r math yn dibynnu ar y drosedd. Yn achos llofruddiaeth, rhaid iddo fod yn fwriad. Ond gall trosedd curo gael ei chyflawni drwy fyrbwylltra.

> Yma, mae'n canolbwyntio'n llawer gwell ar y cwestiwn ond mae wedi treulio gormod o amser ar faterion llai perthnasol.

Bydd y barnwr yn dehongli'r statud gan ddefnyddio dehongli statudol, gan nad yw statudau bob amser yn nodi a yw'r *mens rea* yn ofynnol neu beidio. Byddai'n help mawr pe baen nhw'n gwneud hynny! Mae'n rhaid i'r barnwr ddefnyddio'r pedwar prawf o achos Gammon i sefydlu a oes *mens rea*. Ond bydd yn dechrau gyda'r prawf a gafodd ei ddefnyddio yn **B v DPP**, lle maen nhw'n rhagdybio bod angen *mens rea* bob amser. Yr enw ar droseddau sydd heb fod angen *mens rea* yw troseddau atebolrwydd caeth.

> Yn olaf, mae'r ymgeisydd wedi symud ymlaen i ystyried atebolrwydd caeth yn gywir; ond dylai hyn fod yn ganolbwynt ei ateb o'r dechrau. Mae'r ymgeisydd yn cyfeirio'n gywir at rôl y barnwr wrth ddehongli statudau. Mae hefyd yn cynnwys llawer o wybodaeth bwysig yn y paragraff hwn, fel rhagdybiaeth *mens rea* a phedwar prawf achos Gammon. Byddai wedi bod yn well pe bai wedi esbonio'r pwyntiau hyn yn fwy manwl. Roedd angen cynnwys cyfraith achosion ar gyfer pob un o 4 prawf Gammon.

Yn gyntaf maen nhw'n gofyn a yw'r drosedd yn drosedd wirioneddol, fel yn achos y perchennog a roddodd ei heiddo ar rent i bobl oedd yn defnyddio cyffuriau. Doedd hi ddim yn gwybod am hyn ond cafodd ei dyfarnu'n euog, cyn i'w heuogfarn gael ei dileu ar apêl. Yn ail, maen nhw'n edrych ar faint y gosb. Fel arfer, mae cosbau bach yn golygu atebolrwydd caeth. Yn drydydd, maen nhw'n edrych i weld a yw'r drosedd yn un o bwys cymdeithasol, fel yn achos **Harrow** lle gwerthwyd tocynnau loteri i blant o dan oed. Does dim ots os oedden nhw'n edrych fel eu bod dros 16 oed. Yn bedwerydd, maen nhw'n edrych i weld a yw geiriad y Ddeddf yn dweud wrthyn nhw mai trosedd atebolrwydd caeth yw hi. Mae rhai geiriau fel 'achosi' yn achos **Alphacell v Woodward** yn dangos i'r barnwr y gall y drosedd fod yn un atebolrwydd caeth.

> Mae'r ymgeisydd wedi trafod pedwar ffactor Gammon, er mai yn fras y gwnaeth hyn. Mae wedi eu nodi yn gywir ac wedi ceisio defnyddio cyfraith achosion i'w hegluro. Nid yw'n gwneud hyn yn ddigonol, fodd bynnag, ac nid yw'n ystyried yr achosion na'u goblygiadau yn ddigonol. Dyma ddylai fod yn brif ganolbwynt ei ateb, ynghyd â gwerthuso'r pedwar ffactor a sut mae'r llysoedd yn defnyddio'r canllawiau hyn i bennu a yw *actus reus* a *mens rea* yn ofynnol ar gyfer trosedd.

Dyma gasgliad digon boddhaol, lle mae'r ymgeisydd wedi canolbwyntio ar y cwestiwn, gan sylweddoli efallai fod y cwestiwn yn ymwneud ag atebolrwydd caeth. Yn ddelfrydol, ni ddylai gyflwyno gwybodaeth newydd mewn casgliad, gan y dylai fod yn grynodeb o brif gorff yr ateb. Ond mae'r ymgeisydd hwn wedi ei ddefnyddio fel cyfle i roi rhagor o wybodaeth am atebolrwydd caeth a rôl barnwyr. Mae'r ymgeisydd yn awgrymu bod y dull hwn yn gallu bod yn anghyson. Gallai fod wedi datblygu hyn yn gynt, gydag achosion fel Lim Chin Aik a Smedleys v Breed.

Felly mae'n amlwg bod *mens rea* ac *actus reus* yn gysyniadau pwysig iawn, ond bod gan y barnwr rôl fawr i'w chwarae hefyd. Y broblem â hyn yw nad yw barnwyr wedi eu hethol. Gallan nhw benderfynu'n anghywir, neu gall rhai pobl gael eu dyfarnu'n euog o drosedd a rhai eraill yn ddieuog. Mae *actus reus* a *mens rea* gwahanol ar gyfer troseddau gwahanol. Ond yn achos atebolrwydd caeth, bwriad y troseddau yw rheoleiddio ymddygiad. Er enghraifft, mae troseddau gyrru'n rhy gyflym yn ffordd o reoli llif traffig. Mae'n gwneud cwmnïau yn fwy gofalus, ac mae hyn yn amddiffyn bywydau a'r cyhoedd. Nid yw'r llysoedd yn gallu mynnu bod pob trosedd yn gofyn am *actus reus* a *mens rea*. Fel arall, o ran ymddygiad rheoleiddiol, ni fyddai'n ataliad i gwmnïau, ac ni fyddai aelodau'r cyhoedd yn cael eu hamddiffyn. Ond mae hyn i gyd weithiau ar draul tegwch.

Ar y cyfan, mae hwn yn ateb 'boddhaol'. Roedd y cwestiwn yn gofyn am drafodaeth ar atebolrwydd caeth, ond mae'r ymgeisydd wedi cynnig ateb rhy eang ac nid yw wedi dangos dealltwriaeth drylwyr o atebolrwydd caeth. Yn ffodus, mae'n mynd ymlaen i drafod atebolrwydd caeth, ond er ei fod yn dangos dealltwriaeth o ragdybiaeth o *mens rea*, y pedwar ffactor a rhywfaint o gyfraith achosion, nid yw'n datblygu'r pwyntiau nac yn dangos dealltwriaeth fanwl. Mae ei gasgliad, fodd bynnag, yn canolbwyntio'n dda ar y cwestiwn ac yn dod i ben yn daclus.

Byddai'r marc AA1 yng ngwaelod band 2, a byddai'r marc AA3 yn rhan uchaf band 1 neu waelod band 2.

Geirfa

actus reus: 'y weithred euog' sy'n angenrheidiol er mwyn cael diffynnydd yn euog o drosedd. Gall fod yn weithred wirfoddol, yn anwaith neu'n sefyllfa.

amddiffyniad arbennig: defnyddio amddiffyniad sydd ddim yn canfod y diffynnydd yn gyfan gwbl ddieuog, ond sy'n caniatáu lleihau dedfryd y diffynnydd.

atebolrwydd caeth: troseddau lle nad oes rhaid i'r erlyniad brofi *mens rea* yn erbyn y diffynnydd.

bwndel o hawliau: mae bwndel o hawliau gan berchennog eiddo dros ei eiddo ei hun, felly mae ganddo'r hawl i wneud unrhyw beth mae'n ei ddymuno ag ef (e.e. ei ddinistrio, ei daflu i ffwrdd neu wneud rhywbeth ar hap â'r eiddo).

cadarnhaodd: penderfynodd; penderfyniad y llys.

camwedd: camwedd sifil sy'n cael ei gyflawni gan un unigolyn yn erbyn un arall, fel anaf a achosir drwy esgeulustra.

cyfraith gyffredin / cyfraith gwlad (a hefyd cyfraith achosion neu gynsail): cyfraith sy'n cael ei datblygu gan farnwyr drwy benderfyniadau yn y llys.

cymal eithrio: ymgais gan un parti mewn contract i eithrio pob atebolrwydd neu i gyfyngu atebolrwydd am achosion o dor-contract.

cytundeb hunanladdiad: amddiffyniad rhannol i lofruddiaeth sydd yn a4 Deddf Lladdiadau 1957. Os yw dau unigolyn wedi gwneud cytundeb i'r ddau ohonyn nhw farw ond bod un yn goroesi, os gall brofi bod y ddau wedi bwriadu marw, gostyngir y cyhuddiad i ddynladdiad gwirfoddol.

dadwneuthuriad: dirymu contract neu drafodyn, er mwyn i'r partïon fynd yn ôl i'r sefyllfa bydden nhw ynddi pe bai'r contract heb ddigwydd o gwbl.

diffynnydd: yr unigolyn sy'n amddiffyn y weithred (e.e. yr unigolyn sydd wedi'i gyhuddo o drosedd).

ditiadwy: y troseddau mwyaf difrifol, sy'n cael eu rhoi ar brawf yn Llys y Goron yn unig.

dynladdiad drwy ddehongliad: pan fydd rhywun yn cael ei ladd oherwydd gweithred droseddol anghyfreithlon a pheryglus.

dynladdiad drwy esgeuluster difrifol: pan fydd rhywun yn cael ei ladd oherwydd esgeuluster sifil.

ecwitïol: bod yn deg.

eiddo anghyffwrdd (*intangible property*): eiddo sydd ddim yn bodoli mewn ystyr materol, fel hawlfraint neu hawliau patent.

eiddo tirol: tir ac adeiladau.

goddrychol: rhagdybiaeth sy'n ymwneud â'r unigolyn dan sylw (sef y goddrych).

gwrthrychol: prawf sy'n ystyried beth byddai rhywun cyffredin, rhesymol arall wedi ei wneud neu ei feddwl o'i roi yn yr un sefyllfa â'r diffynnydd, yn hytrach nag ystyried y diffynnydd ei hun.

hawlydd: yr unigolyn sy'n dwyn yr achos gerbron y llys. Tan fis Ebrill 1999, 'pleintydd' oedd yr enw ar yr unigolyn hwn.

iawndal: dyfarniad ariannol sy'n ceisio digolledu'r parti diniwed am y colledion ariannol y mae wedi'u dioddef o ganlyniad i'r tor-contract.

lladdiad: rhywun yn lladd rhywun arall, yn fwriadol neu beidio.

maleisus: caiff hwn ei ddehongli i olygu 'gyda bwriad neu fyrbwylltra goddrychol'.

mens rea: yr elfen feddyliol, y 'meddwl euog' neu'r elfen o fai mewn trosedd.

peth (neu *chose*) mewn achos: eiddo sydd ddim yn bodoli mewn ystyr materol, ond sy'n rhoi hawliau cyfreithiol gorfodadwy i'r perchennog (e.e. cyfrif banc, buddsoddiadau, cyfranddaliadau ac eiddo deallusol fel hawliau patent).

rhagweladwy: digwyddiadau y dylai'r diffynnydd fod wedi gallu eu rhagweld yn digwydd.

rhwymedi: dyfarndal a wneir gan lys i'r parti diniwed mewn achos sifil i 'unioni'r cam'.

statud (Deddf Seneddol): ffynhonnell deddfwriaeth sylfaenol sy'n dod o gorff deddfwriaethol y DU.

teler: datganiad sy'n cael ei wneud wrth drafod contract y mae bwriad iddo ddod yn rhan o'r contract, gan rwymo'r partïon iddo. 'Telerau' yw mwy nag un teler.

telerau datganedig: telerau contract sy'n cael eu gwneud gan y partïon eu hunain.

telerau ymhlyg: telerau contract sy'n cael eu rhagdybio, naill ai gan gyfraith gwlad neu gan statud.

tor-contract: torri contract drwy beidio â dilyn ei delerau a'i amodau.

troseddau neillffordd: troseddau sy'n gallu cael eu rhoi ar dreial yn llys yr ynadon neu yn Llys y Goron.

ymliwiad: datganiad sy'n cael ei wneud wrth drafod contract, heb fwriad iddo fod yn rhan o'r contract.

Mynegai

Mynegai achosion

Mynegai deddfwriaeth

Cydnabyddiaeth

tudalen 8 fizkes / Shutterstock.com; tudalen 9 (brig) Alter-ego / Shutterstock.com; tudalen 9 (gwaelod) Irma07 / Shutterstock.com; tudalen 10 Joggie Botma / Shutterstock.com; tudalen 12 William Potter / Shutterstock.com; tudalen 13 Denphumi / Shutterstock.com; tudalen 16 (brig) igorstevanovic / Shutterstock.com; tudalen 16 (gwaelod) Vladimir Mulder / Shutterstock.com; tudalen 17 megaflopp / Shutterstock.com; tudalen 18 Pressmaster / Shutterstock.com; tudalen 21 create jobs 51 / Shutterstock.com; tudalen 22 Sorbis / Shutterstock.com; tudalen 23 (brig) Jet Shopping Media / Shutterstock.com; tudalen 23 (gwaelod) veryulissa / Shutterstock.com; tudalen 24 (chwith) VanderWolf Images / Shutterstock.com; tudalen 24 (dde) Featureflash Photo Agency / Shutterstock.com; tudalen 26 (brig) Liukov / Shutterstock.com; tudalen 26 (gwaelod chwith) nasirkhan / Shutterstock.com; tudalen 26 (gwaelod dde) BeRad / Shutterstock.com; tudalen 36 Billion Photos / Shutterstock.com; tudalen 40 plantic / Shutterstock.com; tudalen 41 Marius Pirvu / Shutterstock.com; tudalen 42 Morakod1977 / Shutterstock.com; tudalen 44 Lucky Business / Shutterstock.com; tudalen 45 (brig) sdecoret / Shutterstock.com; tudalen 45 (gwaelod) Sunday_Studio / Shutterstock.com; tudalen 48 anucha maneechote / Shutterstock.com; tudalen 49 (brig) Max Sky / Shutterstock.com; tudalen 49 (gwaelod) The Adaptive / Shutterstock.com; tudalen 50 Shane Maritch / Shutterstock.com; tudalen 51 Africa Studio / Shutterstock.com; tudalen 52 (brig) eggeegg / Shutterstock.com; tudalen 52 (gwaelod) sezer76 / Shutterstock.com; tudalen 53 AlenKadr / Shutterstock.com; tudalen 54 VonaUA / Shutterstock.com; tudalen 55 (brig) Pawel Michaelowski / Shutterstock.com; tudalen 55 (gwaelod) mrjo / Shutterstock.com; tudalen 56 VGstockstudio / Shutterstock.com; tudalen 57 Hawlfraint D. Geraint Lewis / trwy ganiatâd Gwasg Gomer; tudalen 58 kubicka / Shutterstock.com; tudalen 60 John Gomez / Shutterstock.com; tudalen 62 Christopher Slesarchik / Shutterstock.com; tudalen 66 (brig) Juhku / Shutterstock.com; tudalen 66 (gwaelod) Franck Boston / Shutterstock.com; tudalen 67 patpitchaya / Shutterstock.com